● CONTENTS ●

• CONTENTS •

TOYOTAMA
4

반드시
이겨서
올라와라,
치수야!!

그래,
너희들도
지지
마라!!

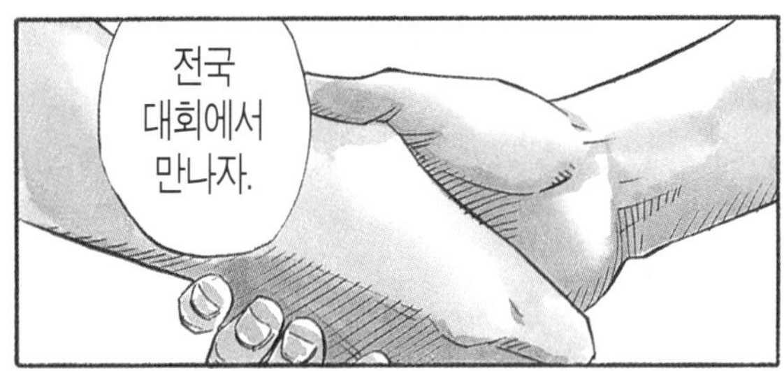
전국
대회에서
만나자.

수고하셨
습니다!!

아직
거친데다…

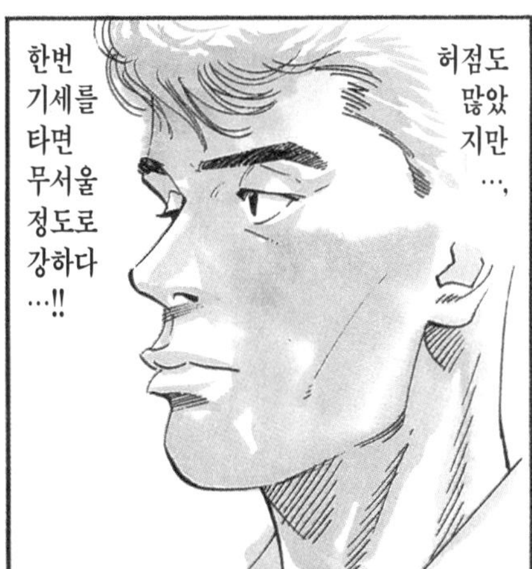
허점도
많았
지만
…,
한번
기세를
타면
무서울
정도로
강하다
…!!

#197 농구화(brand-new)

헉
헉
헉
정말
길었다!
헉
힘들
었어
….
정말
….
훌쩍

2만개다—!!!
와아아아아
끝났다—!!!

헤헷…
해냈다!!

감독님!!

안선생님,
지금
돌아왔습니다!!

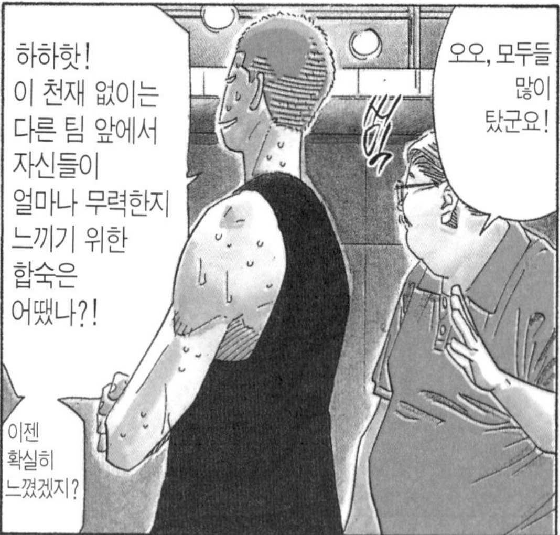
오오, 모두들
많이
탔군요!
하하핫!
이 천재 없이는
다른 팀 앞에서
자신들이
얼마나 무력한지
느끼기 위한
합숙은
어땠나?!
이젠
확실히
느꼈겠지?

울컥
이 녀석이!

너야말로
확실히
특훈을
했겠지?!
……!!

호오…!

이 바보
같은
놈!!
상성과는
1승 1패
1무승부
였습니다,
선생님.
악

훗….
뭐 두고
보라구!

훗훗….
그렇죠,
영감님
~!!
짜잔
-!

꽤나
자신이
있나 보군.

무슨
연습을
한 거지?
………
왠지
불길해
….

좋아, 오늘은 푹 쉬고 내일은 2시부터 연습이다!!
전국대회를 향한 마지막 총점검이다. 알았나!!
옛!!

해산!!
수고하셨습니다~!!

야호-!! 끝났다. 이제야 돌아갈 수 있구나!!

뭐야, 그 녀석들…! 잽싸게 돌아가 버리고 말야.
청소 정도는 하고 가는 게 상식이잖아. 그치 소연아?!
응, 하지만 호열이 일행은 농구부도 아니잖아.

그런데도 1주일간이나 함께 있으면서 여러가지로 도와주었어.
고마워해야지.

그… 그런가?
그렇구 말구. 아니…?

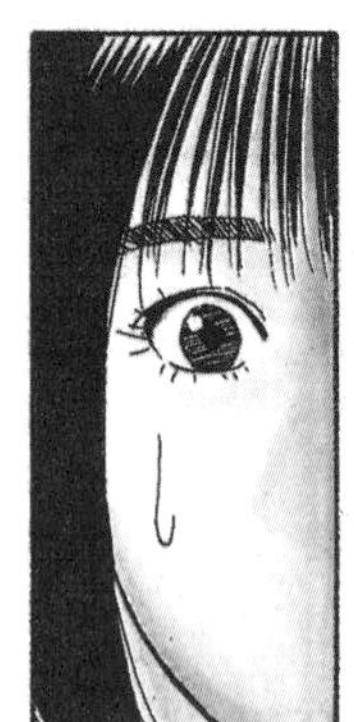

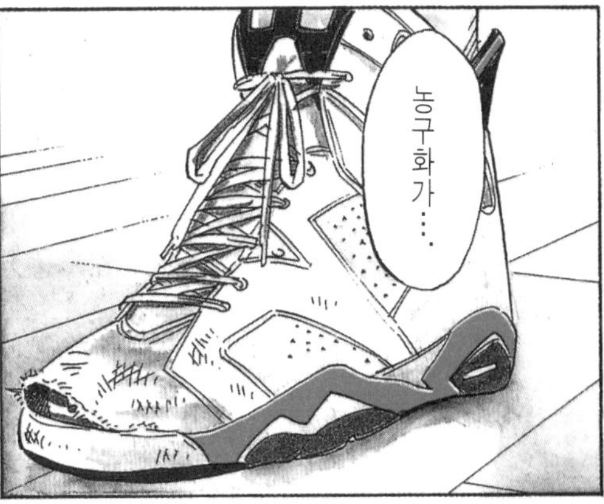
농구화가….

구멍이
났잖아.
백호야…!!

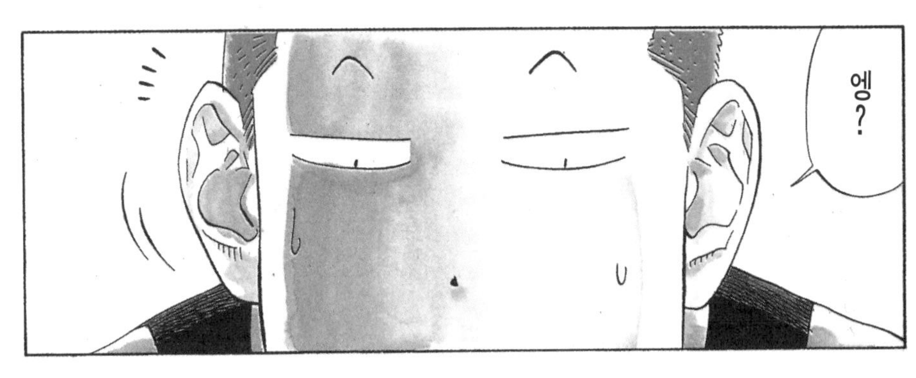
엥?

아-앗!
이…
이럴
수가!!

다음 날

광장해.
벌써 구멍이 나다니….
그만큼 열심히 연습했다는 증거일래나?!
아니, 뭐….
요즘 신발이 조금 작았거든.
핫 핫
그래서겠지.
데이트…♡
찌ー잉…
하는 기분…♡
분명 이 근처였던 것 같은데.
그때, 그 아저씨 참 좋은 사람이었어.
좋은 걸 사야 할텐데….
COFFEE
SPORTS
제발 부탁해요, 아저씨.
좀 비싸도 괜찮으니까요.

이건
안돼.

우선
자네한테
이건
너무 커.
300mm니까…
상관없어요.
신지
않을 거니까.

신지
않는다구?

조단 시리즈는
모든 종류,
모든 색상을
가지고 있어요.
전
수집가
거든요.

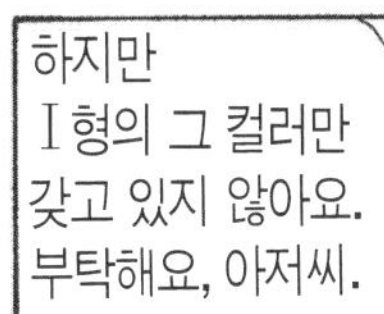
하지만
Ⅰ형의 그 컬러만
갖고 있지 않아요.
부탁해요, 아저씨.

신지 않는
사람에겐
팔 수 없어
이 신발의
기능이 운단
말야
아저씨도
모으잖아요.
난
신잖아.

안된다면
안되는 줄
알아!!
자, 어서
돌아가!!
앗?!
왜
그러세요!!

10만엔을
준다해도 팔지
않을 생각
이었는데…

어라? 근데
아저씨가
모은 것
중에도
Ⅵ는
없네요?

앗,
여기다.
콧수염
아저씨!

안녕하세요.
안녕!
우와앗!!

저번에 산 농구화 너무 작아요. 교환해 줘요!
아-앗… VI가!!
구멍

교… 교환이라니…! 그건 네가 신어서 떨어진 거잖아?! 설마 이제 와서 바꿔달라구?!
말도 안돼!!
작다니까요.

……!!

키가 좀 큰 것 같은데, 백호군!!

……!!

……
응? 왜 그래요?

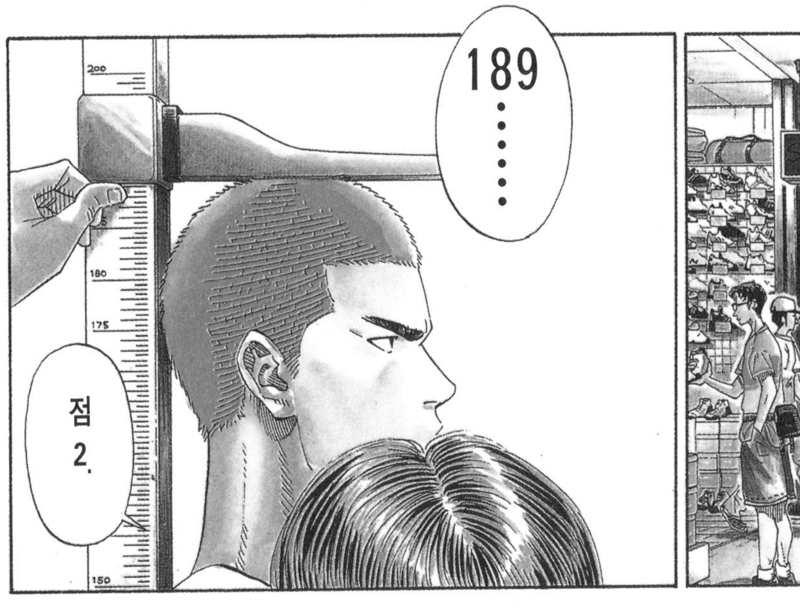
189……
점 2.

우왓, 키가 자랐잖아!!
우와아
189.2!!
역시!!
1.2cm 더 컸어.

아직도 키가 자라나?!
몰랐어!
아마 발도 커졌겠지.
혹시 우리 오빠처럼 되는 것 아냐?

그렇게 되면 고릴라도 더 이상 잘난척 못하겠지!!
후후후

그런데 아저씨, 어떻게…
백호 이름을 아세요?
그러고 보니…

………

우리 시합 봤어요?

결승리그는 매년 보고 있어.
자네가 북산의 선수였다니….

내 얘길 해도 괜찮을까…?

역시 이 천재의 활약을 본 거였군….

결승 상대가 바로 내 모교인 윤산고교였어.
그 해남의 무적 신화의 시작…. 즉 첫 우승 때

우리 카나가와현의 왕자, 무적의 해남대 부속고교!!
올해 마침내 17연패를 달성했지.

지금도 그때의 사투를 꿈에서 보곤 하지.
그때 내가 쏜 그 슛이 들어갔다면…. 왜 그때 침착하게 쏘지 못했는지…?!

항상 너무
분해서
눈을 뜨곤
하지….
내
청춘인
거야….

이게
좋겠다.
!!

주장인
치수군에겐
미안하다고
전해주게.
언젠가
실례되는
말을
해서….

고릴라도
알고
있어요?

와
아
아
아

그런데
너희들은
어느 학교지?
저….
북산고예요.

뭐?
박산?
북산―!!
복산?

……
우욱!!

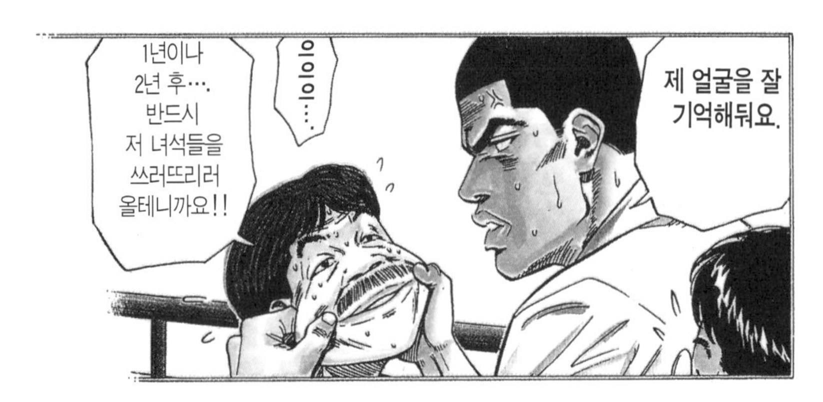
제 얼굴을 잘
기억해둬요.
으으으….
1년이나
2년 후….
반드시
저 녀석들을
쓰러뜨리러
올테니까요!!

………
그때는
정말
아팠어…

치수군이
말한대로
되었어.
대단한
남자야
….

뭐?
여동생?
하하
정말
?!

그런가
…!
SPORTS
하하
…!!

그날 이후
17년간 계속
해남의 싸움을
보아왔지만
17년 전
우리
학교만큼이나
해남을 괴롭힌
상대는…
북산이
처음이다.

호오…,
그런가?
아주 좋은
농구화가
있다.

빨강과
검정….
북산의
색이다!!

우와~
멋진걸요,
사장님!!
멋지다!!

공교롭게도
내겐 너무
커서 말야.
장식되어
있는 것보단
자네가
신어주는 편이
이 농구화도
기뻐하겠지!!
땡큐!
사장님!!

이건 제
마음이에요!
받아두세요!!
뒤적뒤적
아냐, 어차피
그런 건
포기했으니까
….
받아요,
받아!!

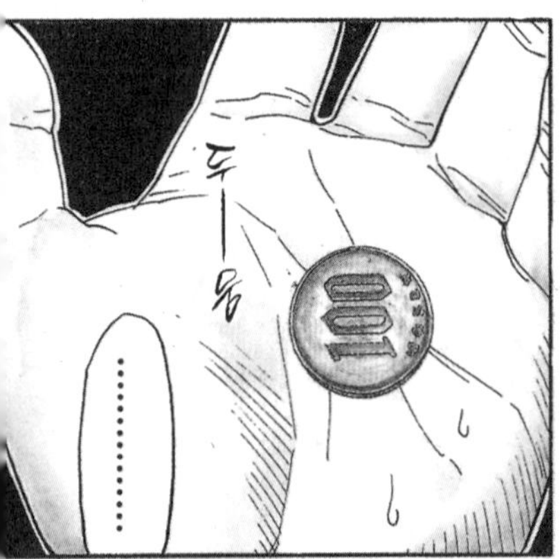
두—웅
……

그럼
수고해요.
오빠한테도
여기서 사라고
얘기할게요.
OPEN!!
치에코 스포츠
잘
부탁해!

애인이 머릴
자르니까
훨씬 성숙해
보이는걸….
좋겠다
좋겠어.
헤에~~♡
애인….♡

전국대회
에서도
힘내야 해!
백호군!!
아저씨도
장사
잘하세요!!
하하…!!
그리고
3일 후—
CHIEKO

새 농구화와
함께
강백호

전국대회를
향해
출발하다!!

SLAM
슬램덩크 완전판 프리미엄
DUNK

#198 초고속 열차

카앙
어머…?

웃샤….
앙

이거
어려운걸….
좀처럼
들어가지
않네!!

앗!!
깜짝 놀랬잖아,
호열아!!
응?
모두
전국대회에
갔을텐데
체육관에서
소리가
나길래….
아,
소연아!!
T셔츠를
놓고
갔거든.
합숙훈련때…

엄청
울리는구나!!
이 소리!!
탕
정말!!
체육관 말야,
주인이
없으니까
너무 조용해….
……………
내가 이런 말
하긴 좀
이상하지만….
하여튼
그런 기분이야.
고마워….
모두가 끝까지
합숙에 같이
있어주어서 백호도
2만개나 던질 수
있었다고 생각해.

농구 경험자의
눈으로 봤을 땐
어때?
백호 녀석!
하하….
순조롭게
성장하고
있는 거니?

정말 굉장해!!
이번에도
눈깜짝할 사이에
안선생님의 가르침을
전부 흡수해
버리잖아!!
보통
사람들이
모든 역에
정차하는
완행열차
라면….

백호는
초고속열차 같은
느낌이야.
정말
부러워.
빠아앙

……
남자들이
하는
원핸드 슛!!
정말 멋있지?
나도 중학교때
어떻게든
해보고 싶어서
특훈까지 했어.
오빠한테
말야.
맞아,
양손으로
하지?!
여자들은!!
응….

점심시간
때도
했었잖아!!
응.

하지만….

정말 열심히
연습했었어.
은퇴할
때까지
계속…!!

슥
슥…

드 당 쿵

3년간 연습한 게 이거야….
괜찮아, 괜찮아.
볼볼
볼볼
볼
볼
부들

백호는 1주일만에….
아니 단 하루만에 날 앞서버린 거야!!

조금이긴 하지만…
질투심도 생겨!

………

뭐…. 사람에겐 저마다 적성에 맞고 안 맞는 것이 있는 법이니까.
소연인 농구가 맞지 않았던 것뿐이야!!
아앗-! 너무해!!

나도 알고 있어. 그 정돈!!
아…, 미안해!!

앗, 난 슬슬 가봐야겠다.
아르바이트가 있어!!

그렇긴 해도 백호가 전국대회 선수라니….

백호에겐 농구가….
농구가 적성에 딱 맞았던 거야!!

드디어
시작이구나,
전국대회….
모두들
파이팅!!

앗…!!
쏴
앵
앵

이게 뭐야!!
주간
바스켓볼
asics

아… 죄송합니다.

……

산왕공업
북산
풍전
태산
이거… 이거… 장난이 아니잖아!!
이럴 수가…!!

왜들 난리야? 이 풍전이란 데가 그렇게 강한가?
?
2회전을 봐.
그게 아냐!

산양….
산왕공업
산왕이다!

신 오사카－
신 오사카－.

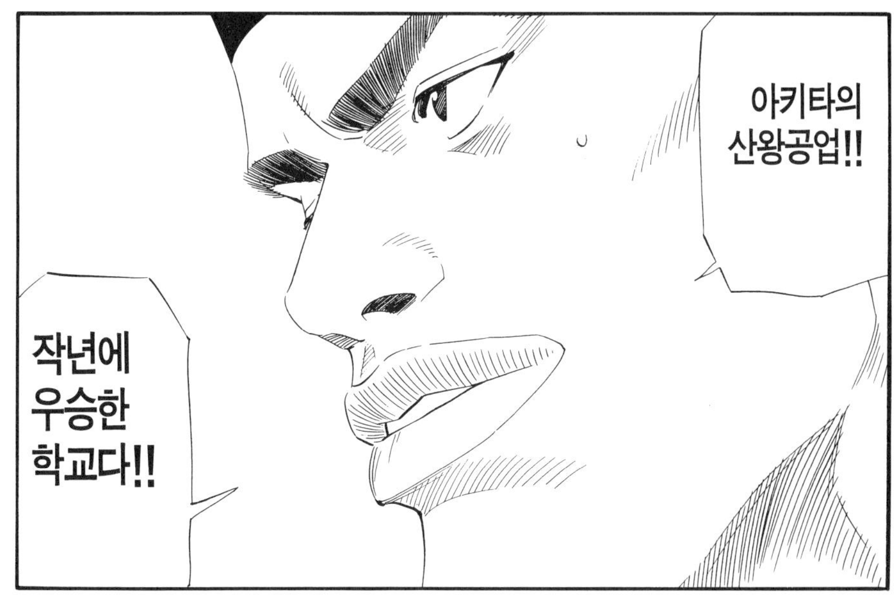
아키타의
산왕공업!!
작년에
우승한
학교다!!

우승…!!
그리고
재작년에도
우승….
그
전년도에도
우승한
곳이야.

잠깐
화장실에….
선생님!

왜
대진표를
가르쳐 주지
않으셨어요?

……

쓸데없는
부담을
주고 싶지
않았어요.
무엇보다도
중요한
건….

상대가
어디인지보다도
우리가 어떻게
해나갈
것인가니까요.

……

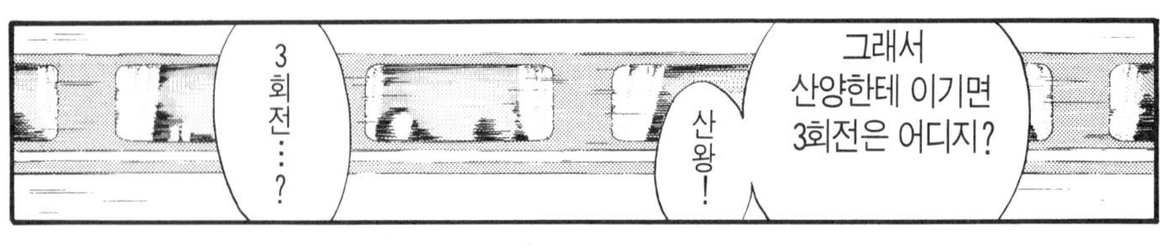
그래서
산양한테 이기면
3회전은 어디지?
산왕!
3회전…?

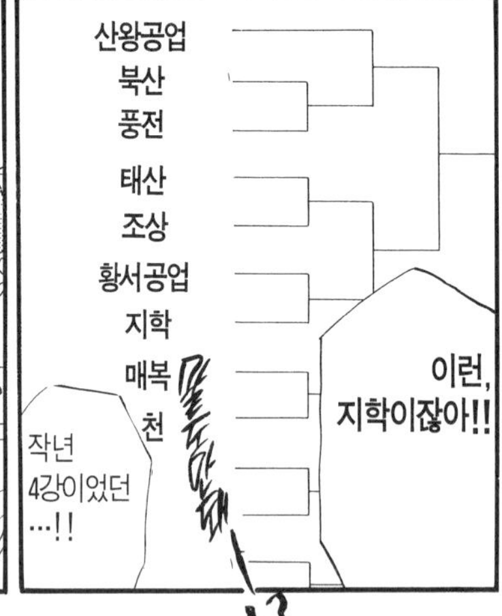
산왕공업
북산
풍전
태산
조상
황서공업
지학
매복
천
이런,
지학이잖아!!
작년
4강이었던
…!!
몰랐냐!?

호오,
'지학의 별'
인가…!
알고 있냐?
시작하자
마자 들것에
실려 나온
녀석이야…!
별 것 아냐!!

뭐?

아!
미안!
……

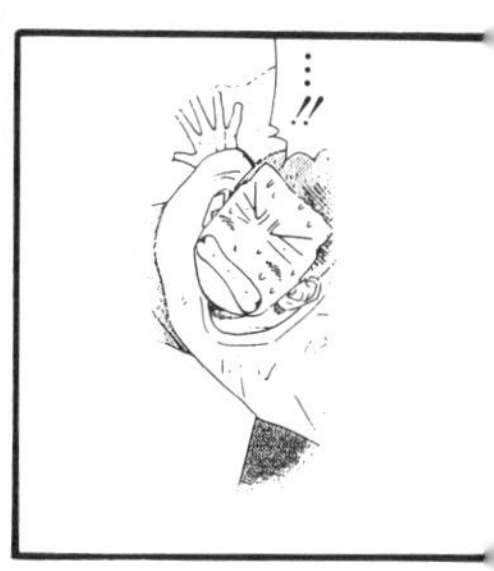
…!!

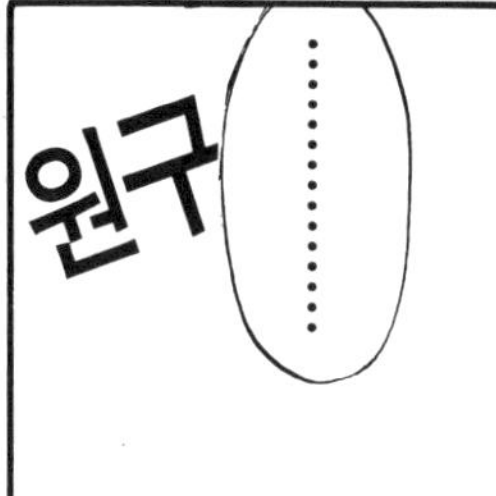
……
원구
명정공업

반대편 조군…,
그 녀석과는 결승에서 만나는 건가?!

산왕공업에 지학고교….
이거 엄청난 조에 들어가고 말았는걸…!!

퍼억
!?

아니…?!
승차권 좀 보여줘!

!?

전국대회에 참가하는 길이군….
저기….
이봐!
뭐야, 넌?
너 방금 산왕이니 지학이니 했겠다!
그런 식으로 말하면 안되지.
그럼 이 칸에 있는 승객들은 '풍전은 송사리구나!' 라고 생각할 거 아냐.

……!
너희들 북산이지?
……….

풍전이냐…?

이봐, 강동준! 그만두지 못해!!
뭐하는 짓이야!!

쳇….

미… 미안하네. 다치진 않았나?
입니다
왜 사과를 하는 거죠? 감독님!
이 녀석들이 우릴 모욕했다구요.

바보같은 놈들! 우린 네놈들 따윈 안중에도 없어.

주제를 알아야지! 이 조무래기 들아!!
그 책 잘 좀 봐라!
이봐, 강동준!! 빨리 가지 못해!!

종합 평가

산왕공업 AA

북산 C

풍전 A

태산 B

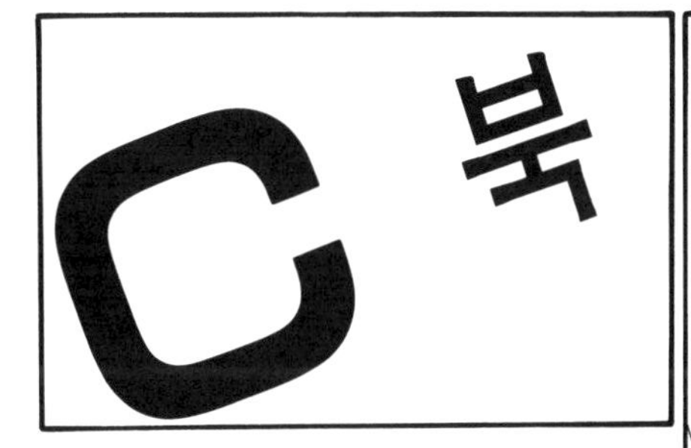

뛰어난 센터인 주장 채치수④가 팀의 대들보. 예상외의 선전을 보일 것인가?! 목표는 1회전 돌파!!

정말 주제도 모르는 녀석들이군.
산왕에 덤벼보겠다니…!

!?
이게!!
……
응?

그만두지 못해, 강동준!! 손을 떼!!
다다닥
빨리!!
무…, 무슨 일이십니까?

칫…!!

이봐, 말꼬랑지!

뭐야?!

내 머릴 잡은 것, 잊지 말라구!!
1회전은 싸움인가…

푸쉬익—
히로시마
히로시마—
히로시마—
깜짝

여름의 전국대회
가을의 전국체전
겨울의 선발대회.
이상이 고교 농구의 3대 타이틀이라 불리어진다.
総合体育大会
HIROSHIMA STATION
広島駅
歓 全国高校総体 迎
広島市高等学校推進委員会
전국대회 첫날밤

무더운 여름—
선서!!

#199 전국대회 첫날밤
全国高校総体
우리 선수 일동은 ―!!

고교 3대
타이틀…!

歓迎
歓迎

환영 전국 대회

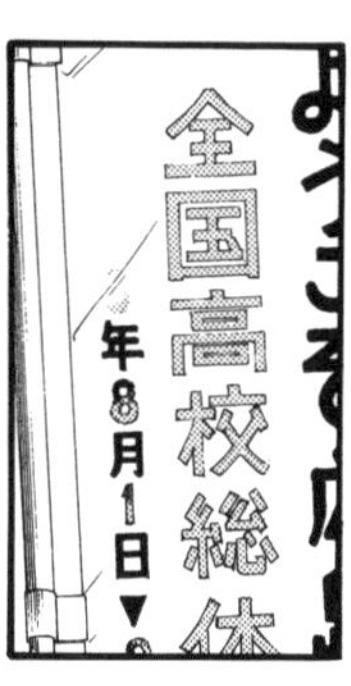
全国高校総体
年8月1日▼

그 중에서도
국내 고교 농구대회 최대 타이틀….

그것이
전국대회
제패인
것이다.
전국고등 대회
웅성

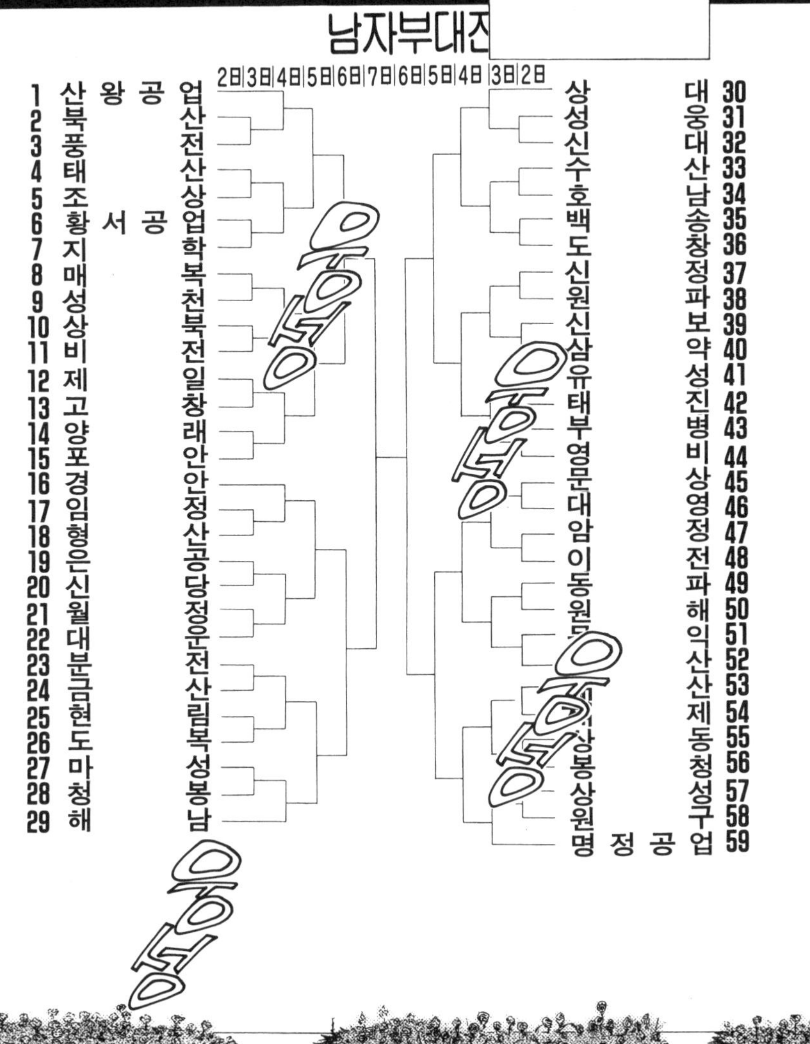
남자부대진
2日 3日 4日 5日 6日 7日 6日 5日 4日 3日 2日
1 산왕공업
2 북산
3 풍전
4 태산
5 조상
6 황서공업
7 지학
8 매복
9 성천
10 상북
11 비전
12 제일
13 고창
14 양래
15 포안
16 경안
17 임정
18 형산
19 은공
20 신당
21 월정
22 대운
23 분전
24 금산
25 현림
26 도복
27 마성
28 청봉
29 해남
30 상 대
31 성 웅
32 신 대
33 수 산
34 호 남
35 백 송
36 도 창
37 신 정
38 원 파
39 신 보
40 삼 약
41 유 성
42 태 진
43 부 병
44 영 비
45 문 상
46 대 영
47 암 정
48 이 전
49 동 파
50 원 해
51 익
52 산
53 산
54 제
55 상 동
56 봉 청
57 상 성
58 원 구
59 명정공업
웅성
웅성
웅성
웅성

웅성
웅성
웅성
웅성
삼가 고인의 명복을 빕니다….

응?

산왕, 지학과 같은 조라니…!!
으—음

끝났군!!
뭐라고? 이 야생 원숭이가!!

아무래도 너와 다시 싸울 기회가 없겠는걸. 서태웅!

여기서 너와 확실하게 승부를 내려고 생각했었는데 말야.
……

산왕과 지학이라니…! 큭큭큭….

어차피 쓰러뜨리지 않으면 안되는 상대들이다.
빨리 오느냐, 늦게 오느냐의 차이일 뿐이야.

윽….

그 말대로다.

전국제패를 위해선 누가 상대가 되든 쳐부수는 수밖에!!

준결승에서 너희들과 승부다, 이정환!!
호오, 그렇게 되면야 우린 고맙지!!
1층

카카카캇! 그것도 그렇군요!

……
퍼억
으윽!!
SHOHO

이번에는
절대 지지
않는다!!
단단히
각오해둬라!

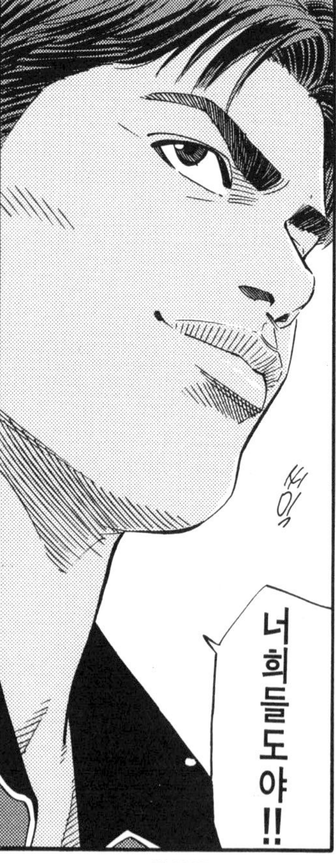
씨익
너희들도야!!

이봐, 이봐!
너희들
진심으로
하는
소리냐?!
해남과도
붙어볼
셈인가
보지?!

응?

도대체
무슨 생각을
하는 거냐?
TOYOTAMA

또 네놈
이냐…?
내버려
둬, 그냥
가자!

야, 이정환!
너희들
예선에서
이놈들한테
꽤 고전
했다며?
그게
무슨
추태냐!

이것으로
4강의 한축은
무너진 셈이군.

……!!

…………

미안한데….
누구냐,
넌?
……!!

푸-하하하핫!!
하 하 하 하
잘한다, 애늙은이!!
잘난 척하긴!! 정환이형에게 시건방진 소릴 하기엔 아직 멀었어!!

말꼬랑지!!
......

척
이것들이 지금 시비 거는 거야, 뭐야!!
죽고 싶은 거냐?!

호오, 한번 해보겠다 이거냐?
척

왜들 그러지?
싸움인가?

그만두지
못해!!

휴우!

쓸데없는 싸움은 그만둬!!
쳇…!

그래, 그만해라. 동준아!!
KISHIMOTO
YAJIMA

……!!

저 녀석이 풍전의 주장 남훈이다.
저녀석은 기억난다
이름이 맞나…?!
……!!

저 녀석은 조심해야 한다. 서태웅!

………

어느 쪽이 강한지는 내일이면 알 수 있다.

채치수, 우리들은 농구 선수다.
이기든 지든 서로 페어플레이 하자!!

물론이지.

가자!!

!
웃!

미안,
안 보여서
말야!!

이런
이런!

야!
차표나
사둬라.

차표?

내일
돌아가야
하잖냐!
이 꼬마 녀석이….

……

그 모든 건
어린 내가
꿈꾸던….

……
안 보여서 말야!!

첨벙

그
멍청한
얼굴을
…
내일
박살내
버리고
말테다….

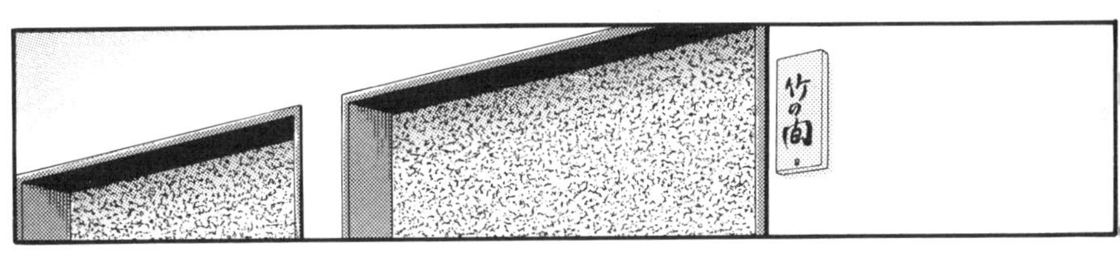

이미지 트레이닝중
난 최고다.
난 최고다.
난 최고다.

잠들었다.

그래,
그래!!
맞어,
소연아!!
핫핫핫!!
백호야,
내일은
합숙의 성과가
나왔으면
좋겠다.

아…
저기…
술술
내일은
말이지,
소연아
….
응…?
좋아,
말할
거야.
……….
여, 여,
열심히
할
거야!!
소연이를
위해서
♡!!
앗!
콰당
응, 힘내.
백호야!
물떼새장
내일은
첫시합
이니까,
일찍
자라.
네!!

쳇….
무슨 책이
이 따위야!!
툭툭
어째서
우리들이
C급이라는
거야?
해남은
A인데 말야.
……
게다가 풍전이
A라니….
정말일까?
치수야….
무슨 일
있니?
응?

대만아….
너 중학교 때 긴장했었냐?
중학교 때 전국대회?
글쎄….
이런 기분은 처음이다.
떨림이 멈추질 않아!!

조금
달리고
올게.

저 녀석도
긴장을
하는 건가?
무리도
아니지.

초등학생
때부터 꿈꿔온
전국무대니까
말야….

헉
헉
헉
내일은
절대 질 수
없겠는걸!!

죄송한데 물떼새장이 어디죠?
길을 잃었어요
으악!!

#200 A랭크 풍전 · C랭크 북산

년전국고등학교종합체
제 회 전국고등학교 농구 선수권 대회

参加申込書

学校名	북산	学校所在地	
略称名	북산고 高等学校	代表者氏名	
監督氏名	안한수	코치	
主将氏名	채치수	매니저	

유니폼 No.	選手名	学年	生年月日	身長 cm	出
4	채치수	3	.5.10	197	북
5	권준호	3	.7.12	178	북
6	이달재	2	.3.28	164	양
7	동태섭	2	.7.31	168	양서
8	신오일	2	.9.23	170	광
9	정병욱	2	.11.4	180	광명
10	강백호	1	.4.1	188	해동
11	서태웅	1	.1.1	187	신
12	이호식	1	.1.18	170	대일중
13	이재훈	1	.10.13	171	대일중
14	정대만	3	.5.22	184	무석중
15	오중식	1	.7.28	162	원당중

上記者는 본교 재학 학생으로 上記 대회 출전을 인정합니다.

年 7月 1日

高等学校長 고장도 印

上記 神奈川 (都道府県) 대표로서 上記 대회 출전을 인정합니다.

年 7月 4日

神奈川 (都·道 府·県) 高体連会長 남관호 印

年度全国高等学校総合体育大会会長 様

※참가비 15,000엔은 참가신청서와 동시에 실시요항 9의(2)에 나와있는 소정은행의 무통장 입금 용지를 사

8월 2일
히로시마
짹 짹 짹…
짹 짹…
물
떼
드디어 전국대회 1차전의 날이 왔다!!
좋아! 모두 모였나!!
예!!
하하하
화장실에 너무 오래 있었군, 고릴라!!
응가가 너무 커서 화장실이 막혔나 보지?
그렇다!?
짹 짹 짹…
크윽!
쿠웅
쳇…. 아침부터 너무 하는 거 아냐?
그것도 출발 전에!
툴툴
시끄럿!
멍청이!

……

떨림이 멈추질 않아!!

치수 녀석, 어떻게 하룻밤 새에 털어버린 모양이군.
응…. 보통 때와 다름없는 채치수야!

모두들 의외로 긴장하지 않고 있구나.

1차전…. 이라고 해도 이건 토너먼트!
산왕공업
북산
풍전
오늘 지면 오늘로 끝이다.

절대로 오늘 은퇴하진 않겠어!!

자아, 가자!!
예에!!
잠깐만요!!

전화예요,
전화!!
전화?
누구지…?

박경태라고
하던데요.

엥?
능남의
경태 녀석!
그 녀석이
왜?
아아,
그
시끄러운
1학년
녀석!!
중요체크다!!

팩스도
왔어요.
이렇게나!
!?

팩스는 잘
도착했나요?

그건 풍전고의
예선 결승 때
시합을
제가 체크한
데이터인데요.
그럭저럭
믿을만한
데이터일
겁니다.

북산이 꼭 이겼으면 합니다!!
조금이나마 도움이 될까 하고요!!
ISON
너무너무 맛있는

극비정보
당신에게만 살짝 가르쳐드립니다.
이것이 풍전이다!
by 박경태
호오….

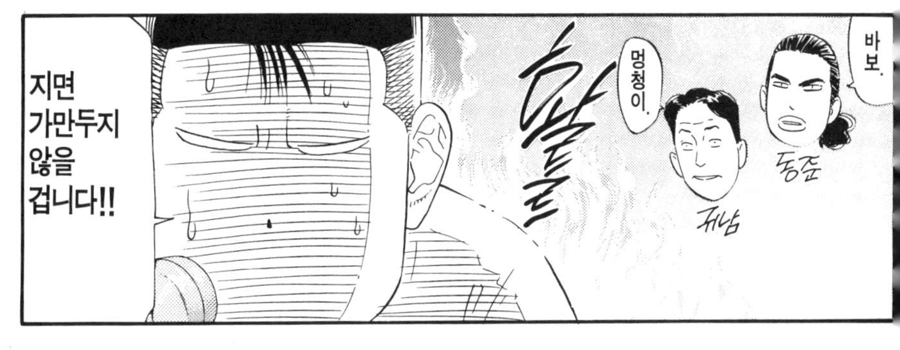
지면 가만두지 않을 겁니다!!
멍청이.
바보.
동준

거기 모두 함께 있나요?
그래, 함께 있다.

……

아뇨….
우리는 지금 타도 북산을 목표로 연습중이니까요….

아! 백호형?!
너희 능남은 보러 안 오냐?
이 천재 강백호의 전국 데뷔를!!

플레이~
플레이~
북·산!!!
SON

……
……
끼이
잉
끼이
잉

고맙다,
경태야!
꼭 이길게!!
바보같은 놈! 고막이라도 터지면 어떡하려고 그래!!
아, 준호형?!

여기서 열심히 응원 할게요!!

홋홋! 그럼 출발할까요!!
네엣!!

힘내요~!!
네에!!
백호야, 떨어지겠다!!
떨어뜨려 버려, 그 녀석!!

북산
풍전
풍전 -!!
산 따위
날내
!!
없애버려!!
이팅,
전!!

전국고교농구대회
전국고교농구대회 迎
전국대회 남자농구 경기장
歡 전국 고교농구대회 迎
있잖아, 우리들….
안
웅성 웅성
웅성
좀 무서워.
잘못 앉은 거 아냐, 영걸아?
닥쳐!
머…, 멍청한 녀석!!
이미 승부는 시작됐어!! 여기서 겁먹으면 안돼!!
무엇 때문에 우리가 여기까지 왔다고 생각하냐!!

파이팅ㅡ!!
북산ㅡ!!
불꽃남자 정대만
불꽃남자
!!

……!!

우와아앗! 영걸아, 도망쳐!!
응?

두두두두두
우와아아!
빨리
도망쳐!!!
이 자식들,
죽고 싶은
거냐?!

우웅웅
우웅웅
우웅웅
우웅웅

풍전고교
대기실
북산은 무명이긴
하지만
강호
해남대부속을
괴롭혔던
팀이다!!
상당한 포텐셜을
숨기고 있을지
몰라.
바짝 긴장하고
경기에 임하기
바란다!!

……

포텐셜이 대체 뭐죠? 우리나라 말로 해줘요.
난 바보라서 무슨 말인지 모르겠군요.

아…, 미안! 잠재능력이란 거다.
북산의 숨겨진 힘….

북산의 득점왕은 1학년이잖아.

무명고에 흔히 있는 일이죠!
거물 신입생의 가세로 운 좋게 여기까지 나오게 된 거예요!

꽤 큰데…, 187cm!

그 녀석 이름이 뭐야?
서태웅…?

그럼 처음엔
내가 서태웅
그 녀석을
마크하지.

……
처음엔…이냐?

센터
채치수도
요주의다!
좋은
선수라는
소문이야!!

……
조~용

……

북산고교
대기실

첫 점프볼은 내가 잡는다!!
서태웅, 넌 바로 달려라.
해남전 때와 마찬가지로 속공으로 먼저 득점한다.
SHOHOKU

예!
고릴라, 얘 하나로 괜찮을까?
예전에 얘늙은이한테 마크당해서 실패했잖아.
꼴사납게

시끄러워!
이젠 그 누구도 날 막을 수 없다.

백호야, 너도 특훈의 성과를 보여줘야지.
역시!
기대하고 있었군….
SHOHOKU

……
빙긋

드디어 전국 데뷔.
나… 강백호, 도내 예선전 데뷔 때완 차원이 달라….
두근
두근
두근
예선전 때는 여러 일들이 있었지만….
퇴장이라든가
SHOHOKU

천재 강백호의
이름을
전국에 알리는
날이 온 거야…!!
두근…
두근…
두근…

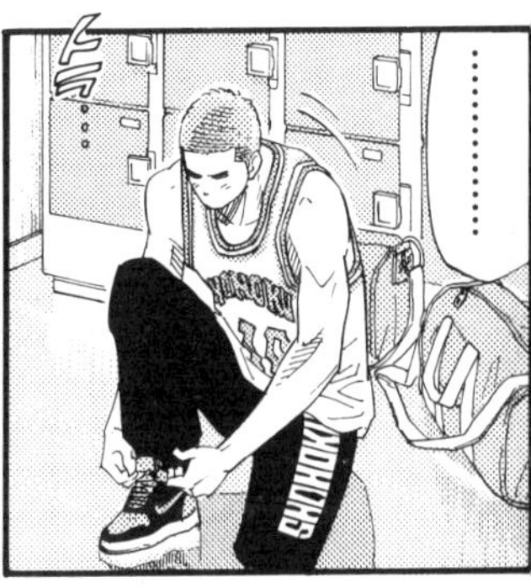

……
늑…

선생님!
북산이
C랭크란 걸
어떻게
생각하세요?

C 북산

A 풍전

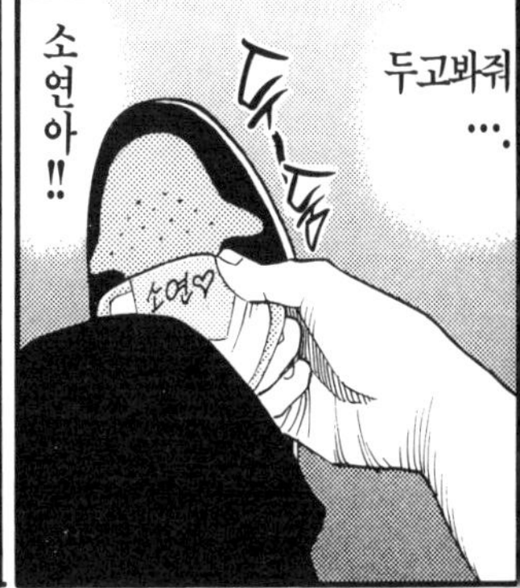

두고봐줘
….
소연아!!
소연♡

후훗!
이거
좋은데요!
주간 바스켓볼

예…?

이걸 본 사람은 아마 누구도 우리가 이기리라곤 생각지 않을 거예요.
오히려 부담없고 좋지 않은가요?
툭

AA 산왕공업
C 북산
A 풍전
태산
시합이 끝났을 때 알게 되겠지요.
이 책이 옳은지 틀렸는지를요.
빙긋

이 책이 틀렸다는 걸 알려주도록 합시다.

좋아….
가자!!
으라차!!

북산ㅡ
파이팅!
좋았어!!

풍전을 무찌르자!!
네엣!!

척
척
척
척
척
SHOHOKU
SHOHOKU
SHOHOKU
SHOHOKU
SHOHOKU

죄송한데 코트 입구가 어디죠?
길을 잃었어요…
네?

第 回全国高等学校バスケットボール選手権大会
JABBA
오옷…!!
努力
풍전고등학교
성질 더러워 보이는걸!
풍전 녀석들!!
RULE THE WORLD
이봐, 이봐!!

너희들 왜 이렇게 늦은 거야?!
죽을 뻔 했단 말야!
영걸이잖아.
RULE

앗, 나왔다!!
북산!

와
힘내라, 북산ー!!
와
북산!!
ットボール選手権大会
JABBA
서태웅
와

우와아아, 풍전~!!
박살내버려!!
努力
풍전고등학교 농구부
풍전~!!
#201 A랭크와 C랭크

앗! 뭐야, 저건?!
이상한 놈이 있네!!
……
와
와
와
이봐, 10번! 짜샤—!!
응?
뭐냐, 그 괴상한 머리는!!
시비거는 거야, 뭐야!!
동준아! 10번 녀석 박살내버려!!

말하지 않아도
그렇게
할 거야!!
와와와
와
와와

오옷!
백호 녀석,
벌써부터 찍힌 것
같은데!!
무리도
아니지!
백호 머리는
눈에 금방
들어오니까
말야!!

인기 많은걸,
강백호!!
하하핫!
……

시합이
시작되기 전에
상대팀
에이스에게
부담을 주려는
작전이구나….
누가
에이스야?

야,
말꼬랑지!
윽!

죽을 힘을 다해 이 천재를 막을 것을 충고하지!!
혹시라도 이겨볼 생각이라면 말야.

뭐 그래봤자 헛된 노력이지만 말야!
SHOHOKU

……

………

뭐라고,
저 녀석이!!
죽여
버릴테다,
빨강머리!!
임마!!

와하하핫!
잘한다~!!
순식간에
불에 기름을
붓는구나,
강백호!!
그렇다곤
해도
저 아이들
너무 심해!!
저 녀석들,
지금 농구
시합 응원
온 것 맞아?!
정말….

아!!
이제
시작이네!!
늦지
않았군!!

풍전~!!
와아아아
10번 멍청아!!
바보 자식!
둥둥
살아서 돌아갈 생각은 마라, 빨강머리!!
야야야
야
야

뭐야, 이 어이없는 야유는?
야야
……
화나잖아…
부들부들
부들부들
지면 안돼!
백호야, 힘내-!!
꿈틀
──!!

소…, 소연아…!!
와주었구나…!

힘내라!!

일부러 여기까지…♡

이봐-! 나도 보러 왔다, 빨간 털 원숭아!!
………

왜냐하면 이 시합을 보지 않으면 북산을 볼 기회가 없을지도 모르니까!

뭐, 그래도 A급과 C급의 일방적인 시합이 될 거라고는 생각지 않지만 말야…!!
자, 시작한다!!

………

바로 달려!!
예!

④ 채치수
3학년 197cm
⑧ 한성호
3학년 190cm
센터
C
파워포워드
PF
⑩ 강백호
1학년 189cm
⑤ 강동준
3학년 188cm
④ 남 훈
3학년 184cm
…………
⑪ 서태웅
1학년 187cm
스몰포워드
SF
⑦ 김평일
3학년 180cm
슈팅가드
SG
⑭ 정대만
3학년 184cm
⑥ 나대룡
2학년 183cm
응?
너 스타팅
멤버였냐?
⑦ 송태섭
2학년 168cm
거짓말이지?
포인트가드
PG
우와아앗!

우웃!!

우리랑 했을 때와 똑같아!!
좋았어!!
타 악
다
!!
번 쩍
윽….
우 우

!?
!!
송태섭,
뭐하는
거냐?
패스해!!
이런!!
어떠냐!!
멍청한 녀석!!

!!
아…!!
좋았-어!!
잘난 척 마라, 꼬마 녀석아!!
치잇!!

좋아, 가라!!
속공이다!!

남훈형!!

와 와
와
와
와
와
파
앗
이
녀석이다!
……

팍

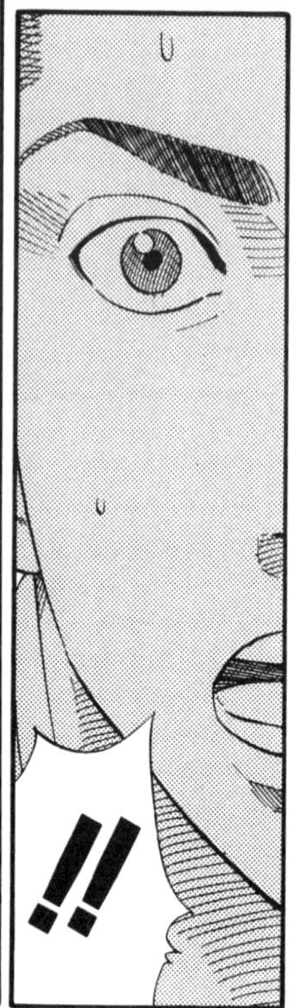
!!

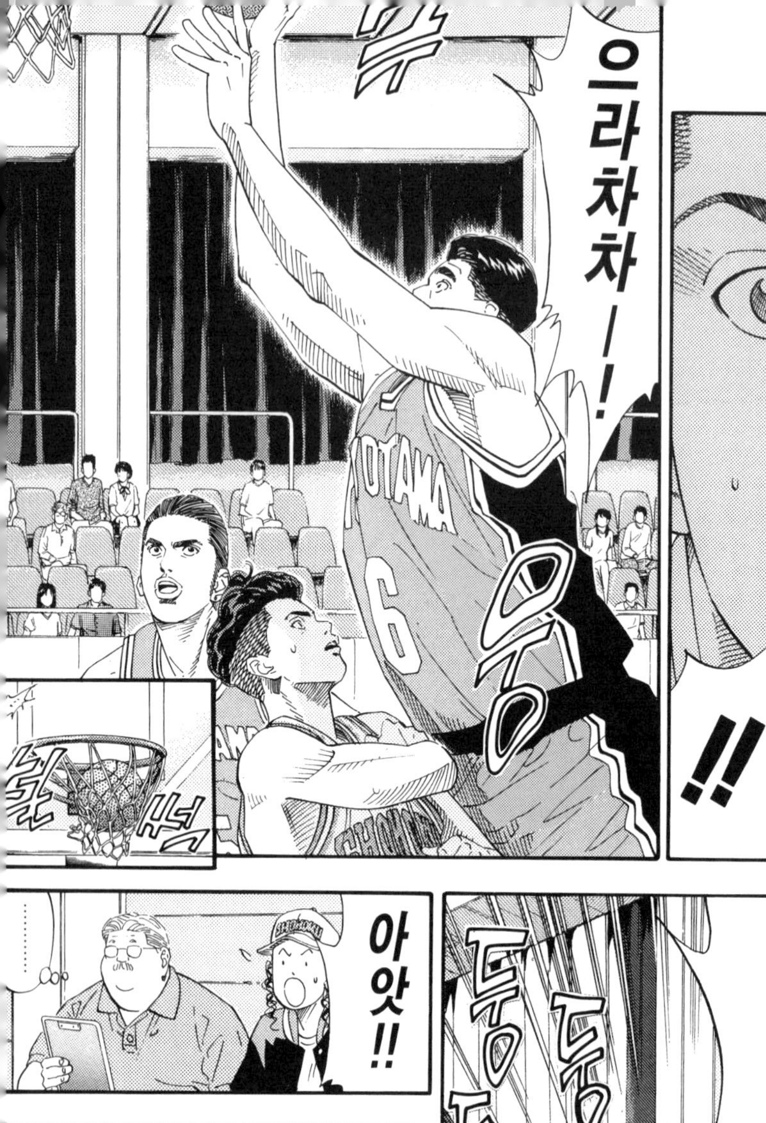
으라차차—!!
와아

좋았—어!!
둥둥
둥둥
努力

아앗!!
……
흥!!

저 자식이!!
……
!!
망할 자식!!
빠르다!!
아니, 북산이 벌써부터 달리기 시작하는데!!
점수 쟁탈전을 벌일 셈인가?!
……

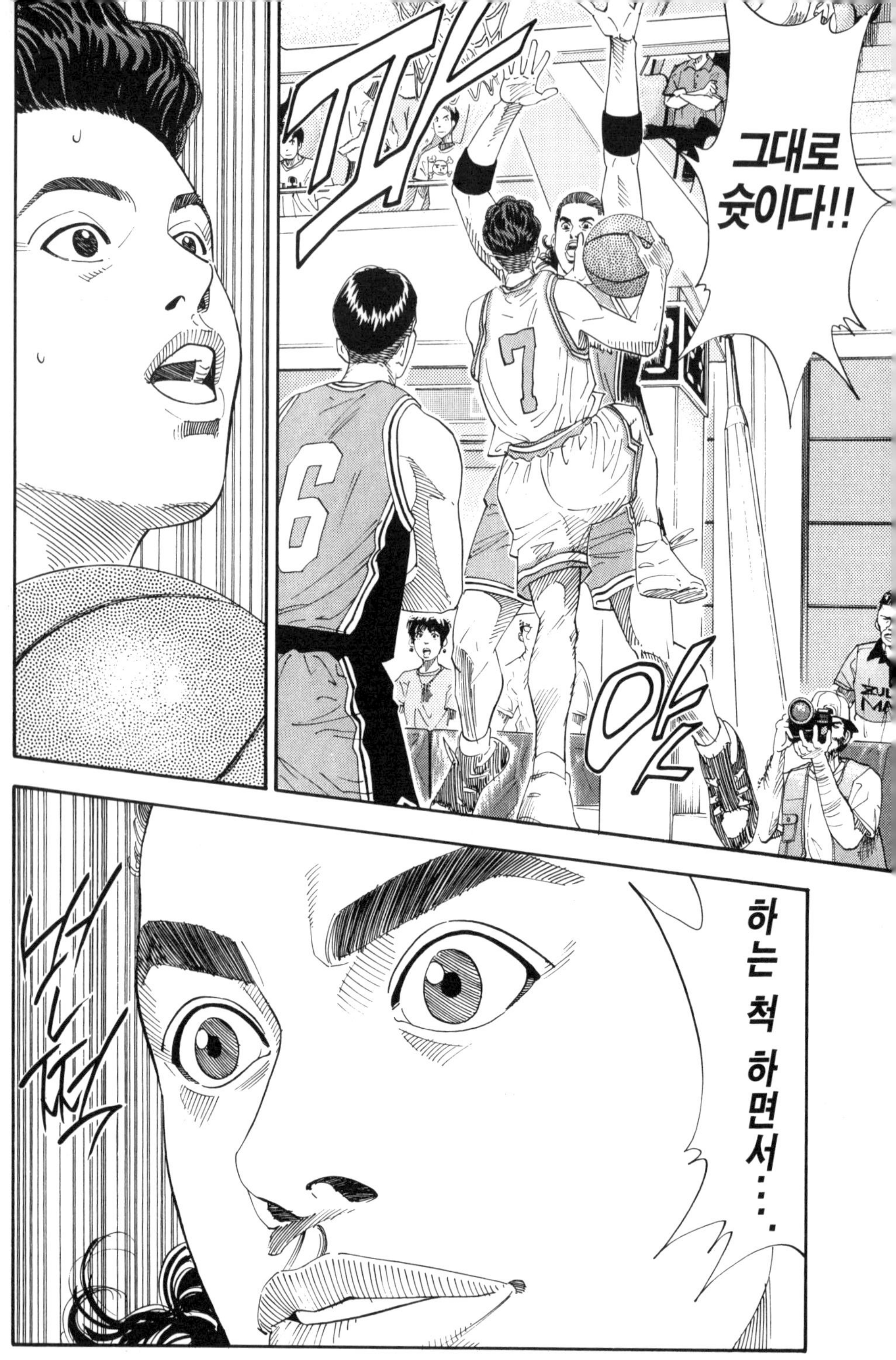
그대로
슛이다!!
하는 척 하면서···

탄
패스지!!
!!
앗
A랭크인가….
!!

AA 산왕공업
C 북 산
A 풍 전
B 태 산

고등학
농구부
A 랭크….
남훈!!

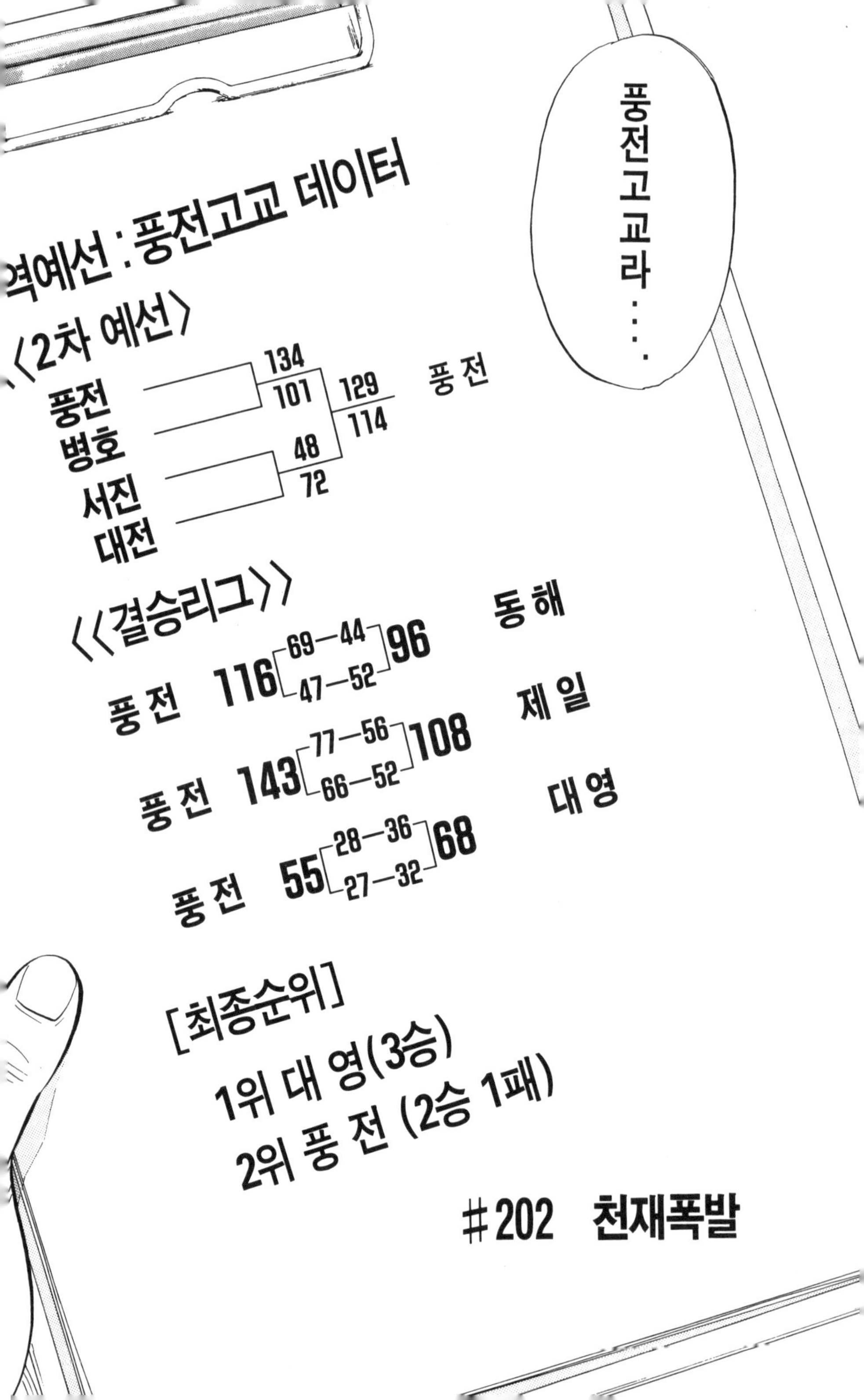

풍전고교라....

역예선 : 풍전고교 데이터

〈2차 예선〉

1회전	점수	2회전	점수
풍전	134		
병호	101	풍전	129
서진	48	대전	114
대전	72		

우승: 풍전

《결승리그》

풍전 116 [69—44 / 47—52] 96 동해

풍전 143 [77—56 / 66—52] 108 제일

풍전 55 [28—36 / 27—32] 68 대영

[최종순위]

1위 대 영(3승)

2위 풍 전 (2승 1패)

#202 천재폭발

아!!
약하군,
약해!!
으랏차
ㅡ!!
잘한다,
강동준!

……
!!
탁
악

퍽
이 녀석이!!
우와악!
억

아앗…?!

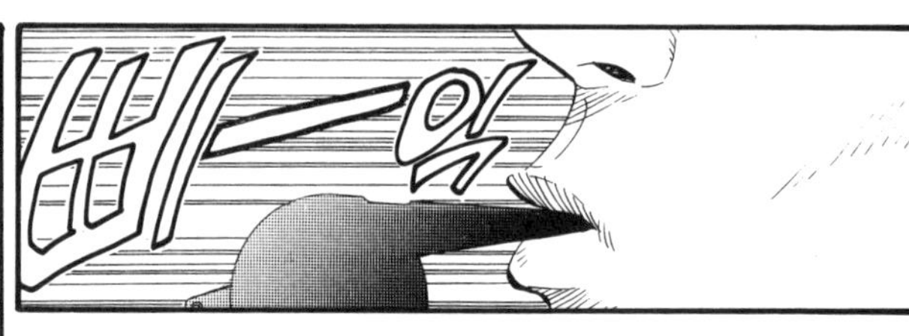

삐ー익

쿵
바보 같은 놈!!

으악, 파울이다!!
아아아
진정해라, 백호야!
너무 티나잖아
들키지 않게 해야지, 강백호!!

젠장…, 저 녀석이 먼저 부딪쳐 왔는데…!!
아파 죽겠네…. 멍청한 녀석이 힘만 세 가지구…!!
우욱!!
아니!!
파울이잖아!!

평일이형!!
우아아아앗!
와와와와
잘한다, 김평일!!
안돼, 안돼, 안돼!!
아직 1분도 지나지 않았는데 6대0이라니!!
와
풍전
19:11
북산
SEIKO
와
와
안돼-!!
그리고 1분이 지날 무렵
—.
패스해, 대룡아!
나한테 패스해!!
이 10번은 아무것도 아냐! 나한테 패스해!!
!!

이놈! 없애버릴 테다!!
멍청이!
!!
남훈…!
모션이 빨라!!

쑥
우와앗,
3점이다!!
우와와
와와와
이거
너무
쉽잖아!!
努力
남·훈!!
북산
18:56
풍전
SEIKO
1ST
남·훈!!
아아….
남·훈!!
와와
와와

첫!!
으드득…
부들 부들
더 이상 못 보겠다!! 왜 항상 시작이 이 모양인 거야!
그렇게 쉽게 점수를 주고 말아!!
1분만에 9점이나 빼앗기면 어떡해!!

풍전의 바스켓이다.
감독님!
이상해요!
역시 개개인의 능력은 상당히 높아….

모두 정말 잘한다 …!!
역시 전국대회에 나온 팀은 달라.

잘못하면 오늘 돌아갈지 모르겠는걸!
아아~! 1회전 정도는 어떻게 이기지 않을까 생각했는데….
충분히 있을 수 있는 일이야.

하지만 왠지 싫어.
꾸~
…………

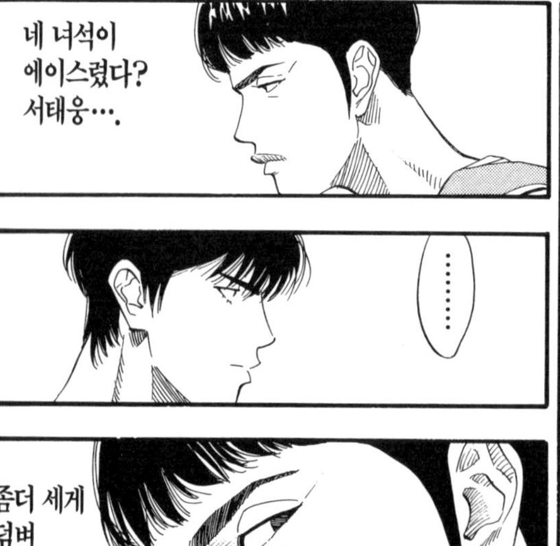
네 녀석이 에이스렸다? 서태웅….
………

와 와 와 와 와

좀더 세게 덤벼 보시지?!

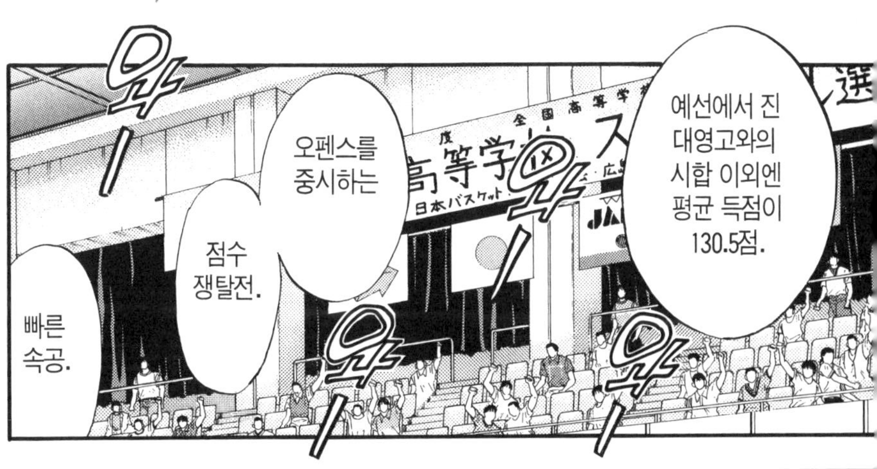
와-
예선에서 진 대영고와의 시합 이외엔 평균 득점이 130.5점.
오펜스를 중시하는
와-
점수 쟁탈전.
빠른 속공.
와-
와-

감독은 바뀌었지만 그 스타일은 올해도 변하지 않았군.
전국대회 단골손님인 풍전의 전통은 그대로야.

그럼 지금으로선 풍전의 게임이네요.
그런 셈이지.

하긴 북산도 같은 타입이긴 하지만….
정환아, 어떻게 생각하니?

…………
상양도 작년 전국 대회에서 풍전에 졌으니까요….

상양이…?!

……

아마도….

그랬었지.
그렇다면 북산도 상당히 고전할 것이라는 얘기냐?

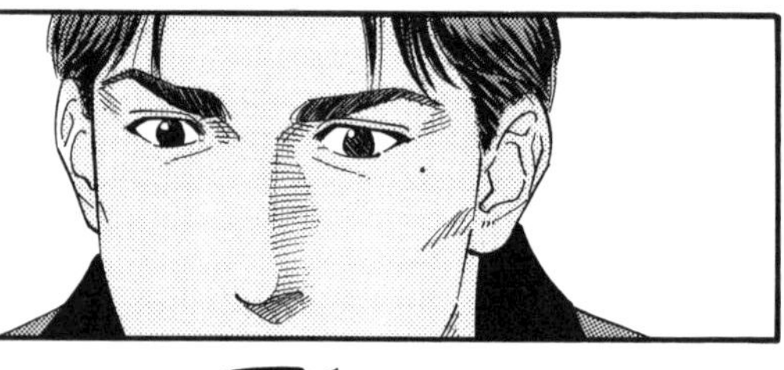
풋내기 강백호가
예선 때보다
성장했다면
재밌어지겠지만….

모두 침착해!!
우선 한 골이다! 한 골만 넣자!!
와아 와아
와아 와아

태섭아, 상대의 도발에 넘어가면 안돼!!
평상시의 플레이다. 평상시의!!

평상시의?
어떤 건데? 한번 실력을 발휘해 보시지?

……

이봐, 빨강머리!
만지지 마!

내가 널 마크하는 의미가 있는 거냐?
응?

아직 공 한번 못 만져봤지?
너 혹시 같은 팀한테 패스도 못 받는 왕따 아냐?!
울컥
……!!

꽈
송태섭,
패-스
!!!!

탁
후회하게
해주마,
말꼬랑지!!
야
오옷,
분노
폭발이다!
!!
!!
RULE

이 천재를 화나게 했겠다!
나오는 건가?!
뭐가?
좋아!! 마크도 심하지 않아!!
저기서 쏠 셈인가, 저 녀석?!

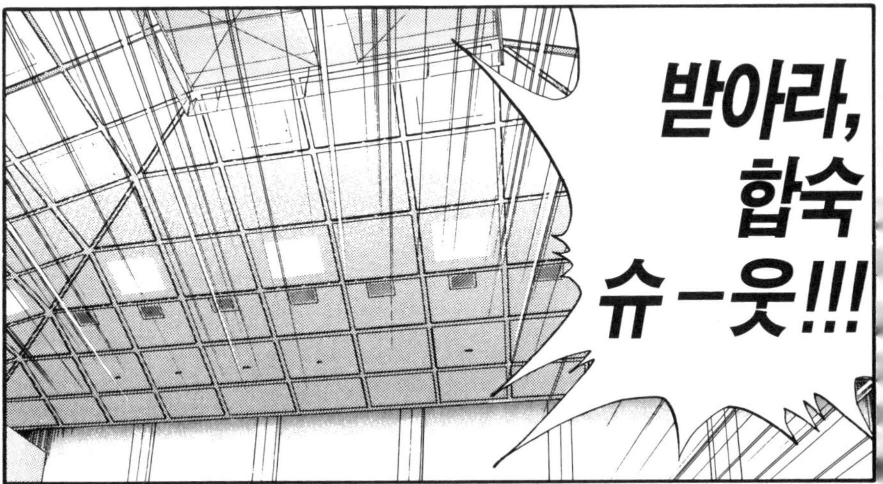
받아라, 합숙 슈-웃!!!

후웃!!
슈
웅
!!

가라!!
아니?

타
악

으잉?!

원래대로 돌아왔어…
화―끈
합숙 처음 때로…

……
부들
부들
부들

한심해…
우리가 저런 놈한테 고전을…!

와핫핫핫핫핫!
야야야야야야
무슨 짓이야, 저 녀석!
잘한다!! 10번!!
이… 이런…!!
이, 이게 아냐….
멍청이!
와하핫, 뭐가 아니란 거야?
그렇게 쉽게는 안되겠지….
그리고 교체되었다.
안돼!!
이게 아냐!
내 실력은 이게 아니란 말야!!

이게
아닌데…

북산 18:44 풍전
0 SEIKO 1ST 9
와—
와—
풍전은 템포가 빠른 고득점 시합이 특기인 팀이에요.
이대로 저들의 페이스대로 끌려가는 건 위험해요.
네!!
SHOHOKU 6
와—
와—
와—
역시 전국대회의 단골…. 개개인의 능력은 높아…!
와—
와—
달재군!

페이스 다운을…?

자네가 모두들 컨트롤해야 하네. 알겠죠?!
네!!
태섭이가 지금 흥분해 있는 상태니까….
걔는 왜 그렇게 쉽게 흥분하는지 몰라. 하여튼 단순해서!!

와와와와
와아아아
SHOHOKU
10
6
TOYOTAMA
6
♯203 고릴라
최고의 컨디션

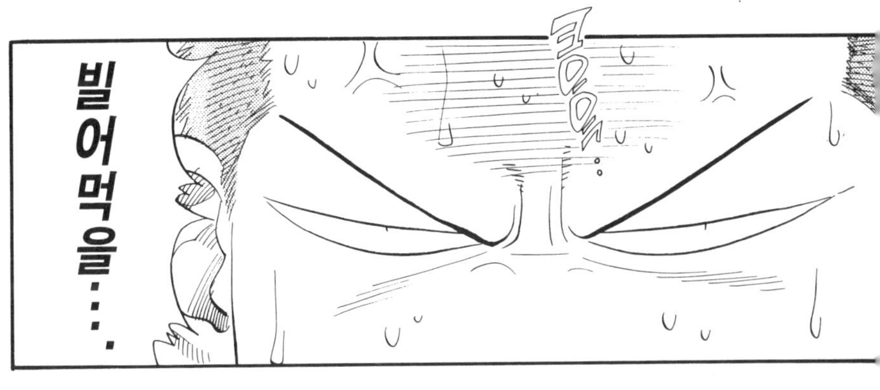
빌어먹을…
콰득

쳇,
단지 크다는
것만으로 나온
녀석이었군.
한심한
녀석!

진정해,
백호야!
너무 무리
하지 마!
!!
무리한 게
아니란
말야,
그 숯은!!
퍽
억
!!

어째서 내가
교체된 거죠?
영감님!!
내 실력을 잘
알고 있잖아요.
타악
그만두지
못해!!
백호야,
교체는
벌이 아냐.
페이스를
바꾸기 위해서
달재가
필요한 거야.
이 천재가
달재보다
못하다고
…?

왜 준호형이 아니고 달재지?
가드가 할 일이니까.

맞아, 그리고….

달재는 보기엔 저래도 배짱이 있어.
돌아가주세요.
부탁합니다.

……!!

야유나 도발에는 절대 지지 않아.
와
와
대회
엥엥

콰앙

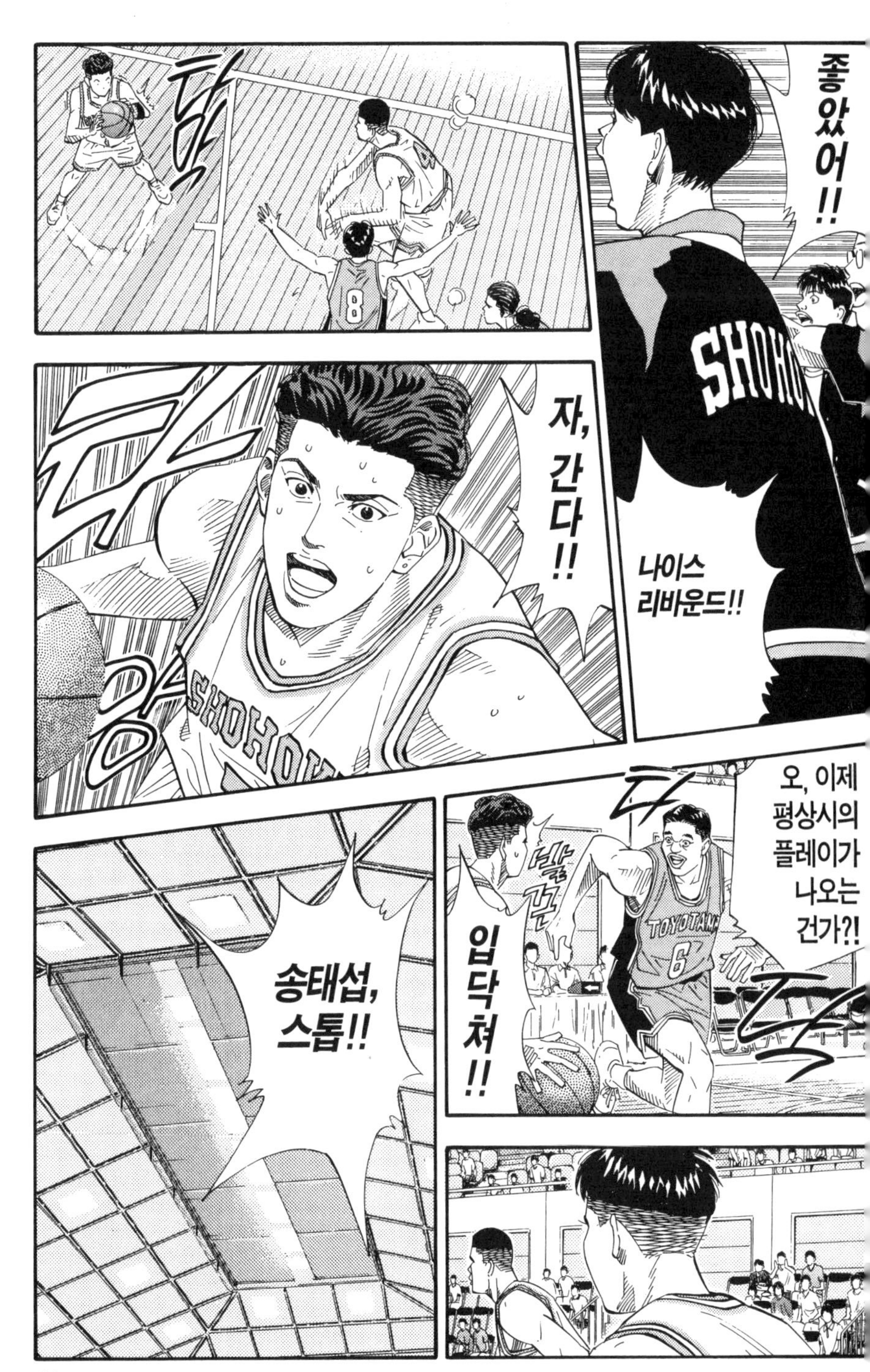
좋았어!!
탁
나이스 리바운드!!
자, 간다!!
팡
오, 이제 평상시의 플레이가 나오는 건가?!
다
다다
입닥쳐!!
송태섭, 스톱!!

응?

태섭아,
패스!!

과연…!
확실히 풍전은
엄청난
하이 스코어로
이겼었네요.
134
…
129
116
…
143
…
반대로 대영고에게는
늦은 템포의
농구로 패하고
말았고요.

쳇, 속공
찬스를 놓쳐
버렸잖아.

하나만!
침착하게
하나만
넣자!!
오!!
탓
양
좋아.
잘한다,
달재야!!
상대가
러닝 게임이
특기라면
그 발을
묶어버리면 돼!!
우리는
런&건뿐만이 아니라
정통적인 하프코트
바스켓도 가능해!!
왜냐하면….

인사이드의
왕자,
채치수가
있기
때문이다.
오펜스에서는
공격시간을 끝까지
사용하고
치수군에게
볼을 패스해
인사이드에서
승부하는
거예요.
치수 선배!!
파앗
탁

아니?!
우와아아앗!!

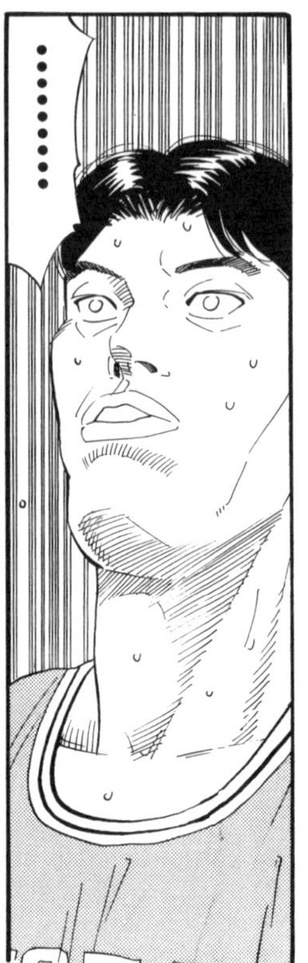
……….

와아아아
좋아, 해냈어!!
채치수!!

와-앗!!
해냈다!! 전국대회 첫득점!!

……….
해냈다!!

과연…! 그런 작전이었구나.
와-
와-

앗!
상대편이 공격할 때는 빨리 돌아와야 해요.
풍전이 속공을 펼치기 전에!!

빨리 돌아가야해! 빨리…!!

와-
쳇…

와-
점수 쟁탈전도 지지 않는데….

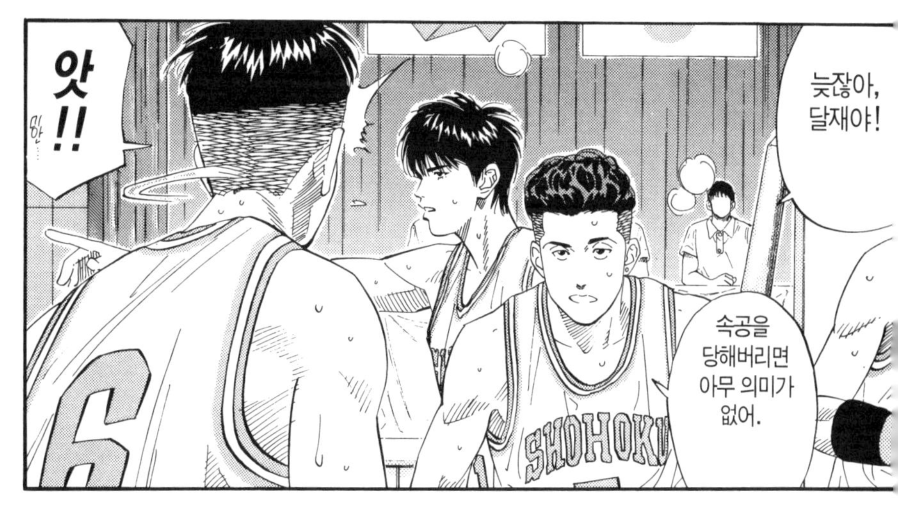
늦잖아,
달재야!
속공을
당해버리면
아무 의미가
없어.
앗!!
딱…

우읏!!

수비가
빨라졌어
….

풍전의
실력을 위라고
보고,
스스로 스타일을
바꾸었군.
페이스
다운이다.

……
역시
전국이라는
무대이니만큼
승부사의 피가
용솟음치나
보군….

언제나 부동의
자세였던
안선생님이
오늘은 대응책이
빠른데요.

……
승부사
와앗!!
왜 폼잡고 그래요?
앙?
!!
고릴라!
나왔다, 파리채 블로킹!!
전국판~!!

파…, 파리채 블로킹 이라구?
우와아….
엄청난 블로킹이야!
엄청난 위압감 이야…!!
이 정도로 존재감이 있는 센터는 우리 지역엔 없었어!!
천천히!
천천히 한골 넣자!!

쳇….

센터다!!
마지막엔 센터로 공격해 올 거다!! ※디나이!!
패스 못하게 막아!!

시끄럿!! 알고 있단 말야!!

※디나이: 마크맨에게 오는 패스를 저지할 수 있도록 서는 디펜스.

4
TOYOTAMA

우오오오ー옷!!
우와아아아앗!!
나왔다!!
와
와
와
고릴라
덩크라고?!
와
와
처음 봤어,
저런 덩크!!

와와
우와-앗!!
와
채치수의
고릴라
덩크!!
쿵
드디어
채치수도
전국구인가?!
와아아아아
안선생님의
작전은
성공해
시합개시
1분만에
9-0이었던
스코어가
전반 10분…
15-14
1점차까지
따라붙게 된다.
10분동안 이 정도의
점수라면 분명
100점 게임은 되지
않을 스코어였다.

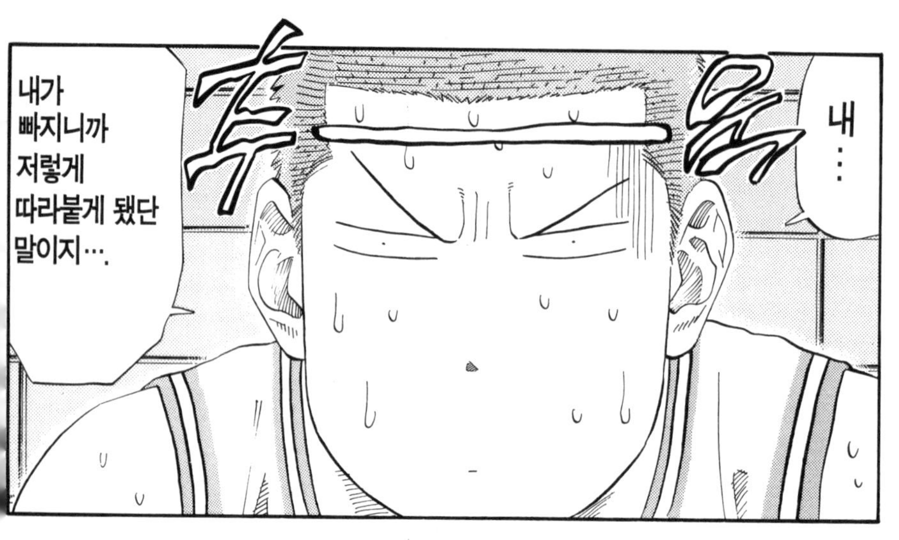
내가
빠지니까
저렇게
따라붙게 됐단
말이지….
내…

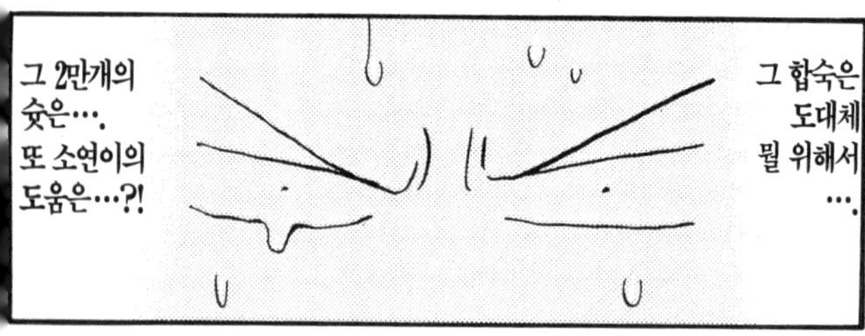
그 2만개의
슛은….
또 소연이의
도움은…?!
그 합숙은
도대체
뭘 위해서
….

……
!!

내 실력
알고 있죠?
영감님이
가르쳐
줬잖아요!!
이봐요,
영감님!!
이제 곧 내가
나가는 거
맞죠?
그렇죠?!
그렇죠?!
내가 나갈 수
있긴
한 거냐구요!!
지,
진정해!
백호야!!

……
……

영감님!!!
아… 아냐.
그런 게
아냐,
백호야!
어디까지나
전략상의
문제로….

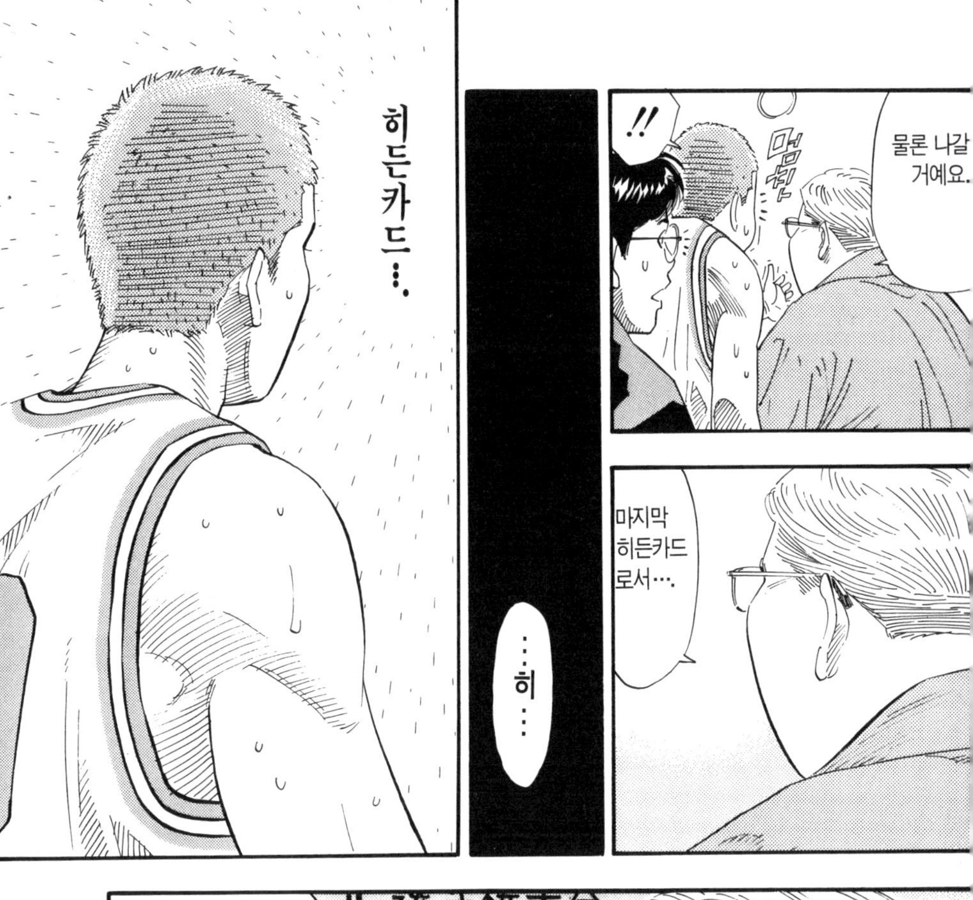
물론 나갈 거예요.
!!
멈칫
마지막 히든카드로서….
…히…
히든카드….

오늘은 치수군의 컨디션이 최고인 것 같군요. 역전할 수 있겠어요.
ール選手権大会

이봐요 영감님.
여기서 역전해 버리면
히든카드 따윈
필요가 없잖아요.
혹시?!
또 날 속이려는
수작…
뜨끔

웅성
웅성
웅성
웅성
잰 누구야?!
저 4번!!
저렇게 강한 센터가 있었다니!!
저것 봐! 또 저 녀석이다!!
웅성
채치수…?!
처음 듣는데!
웅성
북산이란 이름도 처음 듣는걸!!
강한 팀인가?!
웅성
풍전을 상대로
훌륭하게
싸우고 있잖아
강한 팀이야!
북 산
9:29
풍전
SEIKO
14
1ST
17

우왓!!
채치수다!!
SHOHOKU
♯204 점프슛

우와아앗!!
우와ー!!

빌어먹을!!

봤느냐, 풍전!!
저 녀석이 우리 지역 넘버원 센터 채치수다!!

변덕규….

치수야, 난 줄곧 그렇게 생각하고 있었어.
넌 전국에서도 톱레벨의 선수라고!!

네 녀석이 몇 배는 강했었다…!!

와
와
와
좋은 센터군….
앗! 저기 산왕이 …?!
산왕공업 …,
산왕공업 감독
도진우

와
와
와

왕자의 눈에는 어떻게 비쳤을까….

성호야!! 그렇게 고지식하게 승부할 필요없어!!
저 센터는 너보다 한수 위다. 다른 방법도 있잖아!!

그래, 알고 있어!

……

자, 한골
넣자!!
짜샤!!
아까부터
뭐하는
바보짓이야?
겁먹었나?!
없애
버릴테다,
꼬마 녀석!!
무슨
생각인
거야!!
努力
풍전고등학교농구부

웃!!

잠깐,
잠깐, 잠깐,
너희들!!
너무
흥분하지
마!!
히든
카드가
말야…!!
바보짓
하는 것도
어쩔 수가
없어!
왜냐하면
에이스가 지금
벤치에
있으니까
말야.

와 와와와
와
최라고 말다니~!
이 에이스가 나가면 확실한 플레이를 보여 줄테니까, 조금만 입다물고 있어!!
네 녀석의 어디가 에이스란 말야! 바보 녀석!!
멍청이!!
북산고의 작전은 이제 확실해졌어.
게임의 페이스를 늦추기 위해 공격시간을 최대한 사용하는 지공이다.
그리고 가장 신뢰할 수 있는 채치수로 점수를 따낸다.
채치수를 막아야해!!
파
마크맨이 3명!!
와

좋아,
잘한다!!
휘익
퍽
!?

패스다!!

서태웅,
네놈이 진짜
에이스라면 말야!!

네 녀석
에게로
패스할
거라고
생각했다!

!!
아니!!
저렇게
빠를
수가!!
게다가
타점도
높아!!

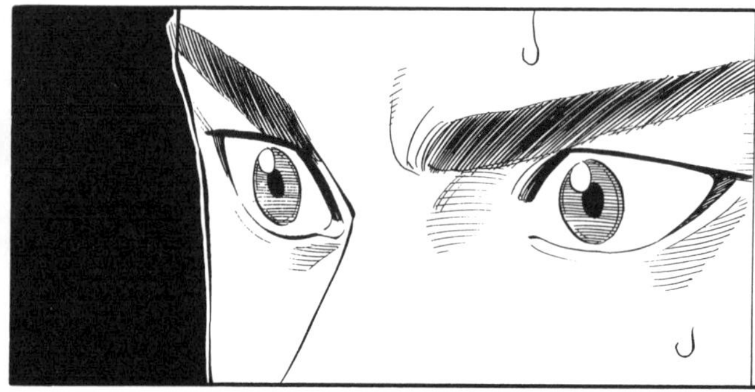

합숙 때 2만개의
점프슛을 쏨으로써
강백호는 서태웅의
점프슛이 얼마나
대단한 것인지
지금에야
비로소 깨닫게 되었다.

우와아!! 역전이다!!
와아아아아아
좋았어!!
서·태·웅♡
서·태·웅♡
북산
8:51
풍전
18
SEIKO
1ST
17
SHOHOKU
11
강백호 자신은 아직 깨닫지 못하고 있었지만, 그것은….
2만개의 슛을 쏘면서 항상 그려왔던 자신의 이상적인 이미지에 꼭 들어맞는 것이었다.

저도 오늘 컨디션 좋은 것 같아요.
꺄닥
꺄닥
와ー
선배!
와ー
좋아!
내가 수비를 끌어들인 후 패스하겠다.
응?
와ー
풍전은 남훈의 2번째 3점슛으로 곧바로 리드를 다시 되찾아왔다.
第 回全国高等学校 ボール 選手権大会
북산 18
풍전 20
1ST HALF 8:42
남훈 선배, 파이팅!!
좋았어!! 잘한다, 남훈!!
이제 슬슬 실력이 나오는데!

채치수
막아
남훈의 채치수에 대한 수비는 흉내낸 것이고,

예선에서 에이스급의 활약을 펼친 이 1학년 루키에 대한 마크에는 빈틈이 없었다.

아앗, 멋진 수비다!!

SHOHOKU
11

SHOHOKU
11

!!

저 점프슛만 봐도 발군의 센스를 가지고 있음을 알 수 있다.
게다가 마치 온몸이 스프링 같이 탄력이 있어!!

촤
우와아아아앗!!
철썩
까아아악-!♡
와아아아아아
나이스,
서태웅!!
와!
서태웅이 또
좀더 실력이
좋아진 것
같은데?!
어디가요?
저 정도는
예전에도
했었어요.
와!
...니,
...딘가...!
술렁
좋은
선수가
있었군.
저 녀석
아직 1학년인
모양이던데!!
1
학
년
!!
태웅이 녀석
굉장한걸!!
전국대회에서도
벌써 눈에 띄게
된 거 아냐?
장내가
술렁거리고
있잖아!
우와!
어쩌면
전국대회에서
우리나라
농구계를
발칵 뒤집어
놓을지도
몰라.
크윽...
큭...

역시….
……!!
네 녀석이 에이스다!!
조심해라, 서태웅…!
……?

그딴 거 말 안 해도 알아
우쭐대지 마—!!
SHOHOKU
11
10

태웅이
아주 쉽
점수를 올리
것 같지
그렇지 않
와!
저 4번의 수비가 상당히 좋아! 봤지? 저 날렵한 풋워크.
와!
봐…. 왠지 우리를 보는 눈이 달라지는 것 같지 않니?
시끌
시끌
시끌
와!
와!
북산의 에이스가 한 수 위라는 얘긴가요?!
굉장해…. 우린 여기 앉아 있는 것만으로도 마음이 진정이 되지 않는데…!
웅성
잘하는걸!
웅성
해남과 대등하게 싸웠다는 게 헛소문이 아니었나봐.
웅성
북산….
웅성
웅성
저 4번 11번 콤비…!!
웅성

#205 의혹의 에이스 킬러

으으…
크윽…!
한나 선배…
응?
저 여우 녀석…
언제 농구를
시작했어요…?
……!
자,
수비다!!
하나
막자!!
네엣!!
오옷, 원래
분위기로
돌아왔어!
이제 상승
무드를
탄 거야!

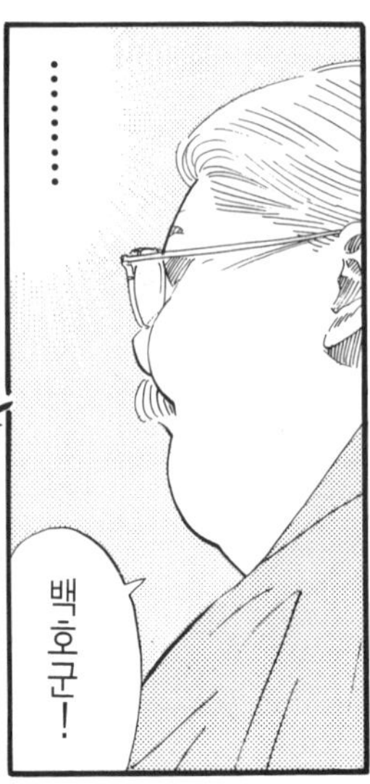
……
백호군!

지금의 점프슛 전에 태웅군이 몇번 훼이크를 했는지 알겠니?
응?!

오른쪽으로 가는 척 하다가 왼쪽….
으로 보이면서 다시 오른쪽이었으니까….
번 이잖아요.

왼쪽 다음에 아주 작은 슛 훼이크도 있었다.

뭣이?!

태웅군의 플레이를 잘 보고…
훔칠 수 있는 건 전부 훔쳐야 하네.

그리고 태웅군보다 3배 더 연습할 것!!
그렇게 하지 않으면….

고교시절동안
절대 그를
따라잡을 수
없어요.
SHOHOKU
11
8
……………!!

역시 경험의
차이가….
앗
!!
신리중에
들어왔을 때
이미 상당한
실력이었어.
재는!
!!
노-,
노-,
노우
-!!
인정 못해!!!
마땅찮
안했어!
우와앗,
현시점에서
패배를 인정하는
발언이
되어버리잖아.
고집쟁이!
그건 아직도
조금 미래의
이야기였다.
이때부터 백호는
서태웅의
플레이를
한순간도 놓치지
않게 된다.
서태웅이
뭘 조심해야
한다는
거죠?
정환이
형?!
그것이 훗날
백호가 더욱 빠르게
성장해 가는
밑거름이
되지만…
저
4
번….
남훈이다!!

눈앞의 적
풍전은 결코
간단한 상대가
아니었다.

저 녀석이 뭐라고
불리는지
알고 있나?

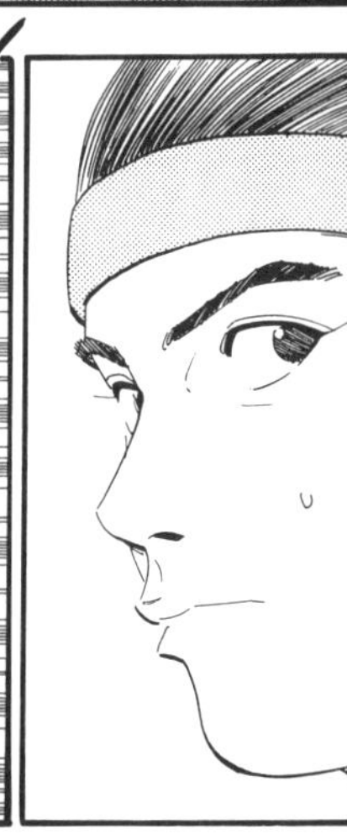

좋아!
잘한다,
서태웅!!

와아아아
나이스 디펜스!!
까앙

위험해!!

파앙

하아
하아
하아
하아

어…
엄청난
땀이야!
농구부
녀석들,
대체
몇십 바퀴나
도는 거야?!

그러고
보니까
오늘…
전국대회
1회전
이잖아!
척
척
척
척
척
척

……

북산의
상대가
풍전인
모양이야.
풍전…?!
척
척
척
척

!!

우왓,
커브!!

여름은
끝났다!!

우리 상양은
겨울의
선발대회에
모든 걸 건다.
전국대회는
신경쓰지
마.

척
헉
북산은…
승리에 대한
풍전의 집념에
고전할
것이다.
특히….
남훈이란
너석의…!!
척
와아아아아
상양
9:11
풍전
33
SEIKO
1ST
36

철
썩
또
넣었다!!
와
광장해!
역시
김수겸이야!
좋았어!
잘한다,
김수겸!!
벌써
20점!!
와아아아
철
좋았어!!
와
아
썩

대단하군….
……!
스타팅 멤버 중 유일하게 2학년이면서 ….
네 녀석이 에이스다!!
응?!

끄억

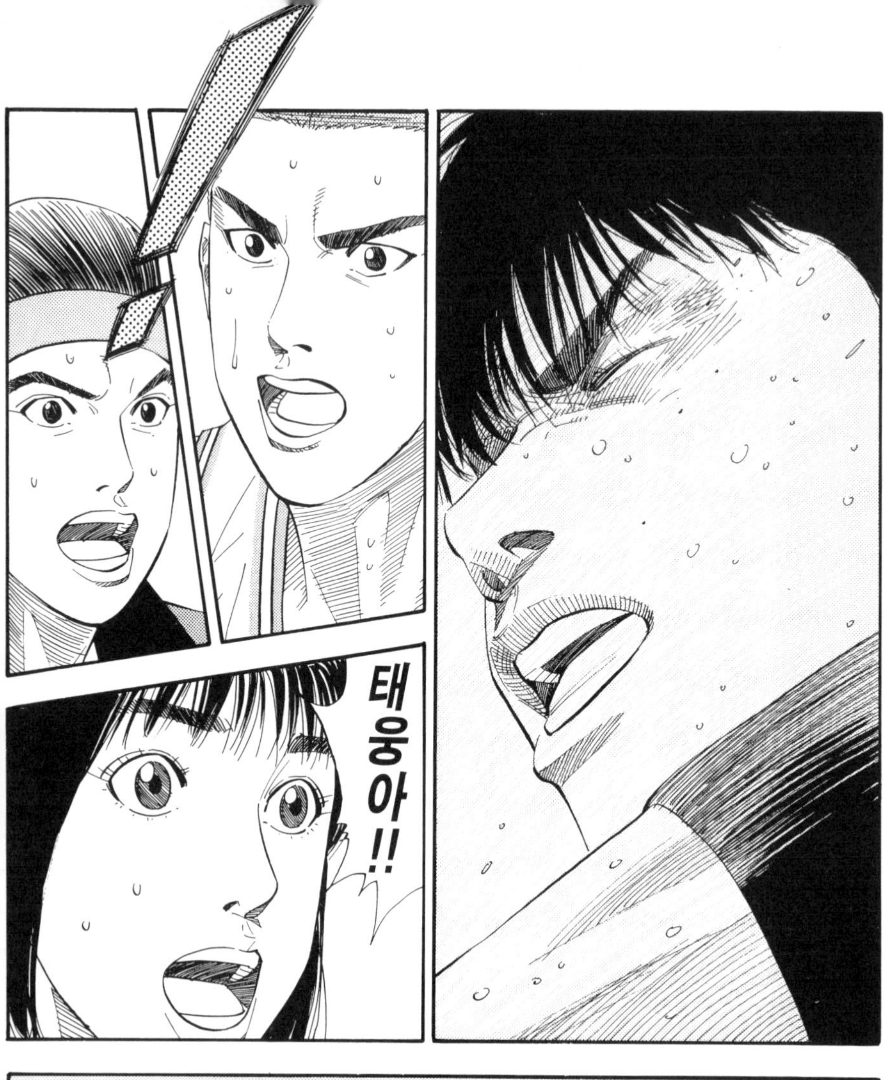
태웅아!!

휘이이잉

척
헉
척
척
헉

남훈….
'에이스 킬러' 라고 불리는 녀석이다!!

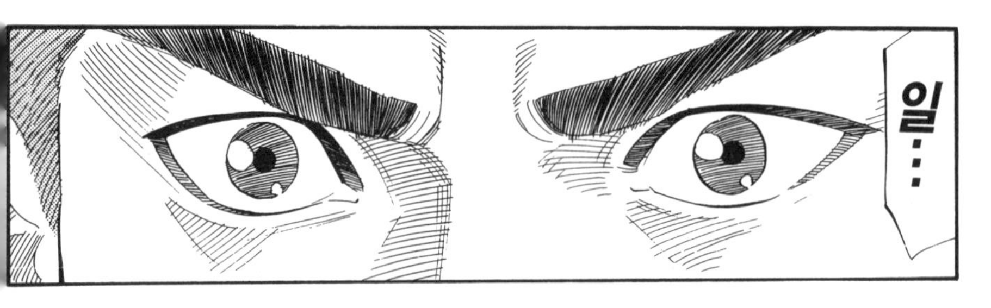
일…

일부러
친 거야,
저 녀석!!
백호야!!

!?
아니?!

뭐라고?!
무슨 근거로
그런 말을
하는 거냐?!

그만둬,
강백호!!
그만두지
못해!!
이것 놔,
고릴라!
지금 건
일부러였다구!

시끄럿! 나, 강백호의 눈을 속일 수 있다고 생각하는 거냐!
당장 그만두지 않으면 퇴장이다!!

들것!!
뇌진탕을 일으켰다!!

제대로 한방 맞았어…!!
팔꿈치로!!

남훈….
너 어제 이기든 지든 페어플레이 하자고 그랬지?!
그게 이걸 뜻하는 거였냐?

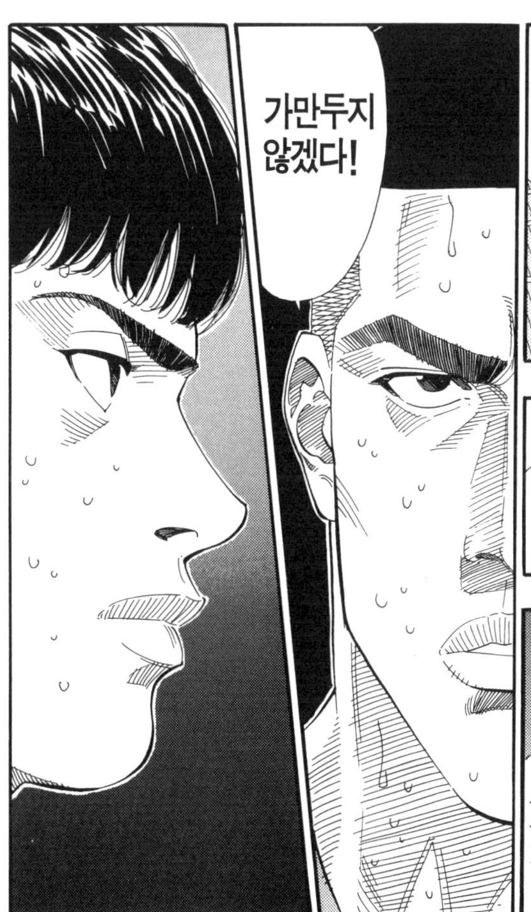
가만두지 않겠다!

흐음…
규칙
제7조 교체선수가 멋대로 팀 벤치 구역을 벗어나면 테크니컬 파울인가…
뭣!
너 테크니컬 파울이야

채치수다,
막아!!
드
우리들은 멀었다
우왓,
채치수에
대한 집중
마크다!!
와
아
우와아!!

퍼
억
!!
#206 우리들은 멀었다
삐
아-얏!!

파울,
풍전
8번!!
웃차차!!

……….

성큼
성큼
우왓!!
그만둬,
치수야!!
치수
선배!!
게임은
거칠어졌다.
남훈의
팔꿈치 공격은
※인텐셔널 파울이
되었지만….
슬슬
슬슬
슬슬
슬슬

※인텐셔널 파울: 심판이 고의적인 파울이라고 판단하는 반칙.

고의인지
아닌지를
알 수 있는
방법은
없었고,

어쨌든
북산은
팀의
득점왕을
잃었다.

적당히
하지 못해,
풍전!!

아앙?!

……
숨긴
왜 숨냐!

저건
마크라기보다
태클이야!!
숨지
말라니까.

고릴라도
폭발할 것
같은데!!
마크가
고릴라에게
집중되고
있으니까.

주장에게 수비가 집중되면 다른 곳이 허술해지지!!
멍청이!
넌 얌전히 구경이나 해!!
!!

삐
우와아앗!
콰당탕
탕
와앗!!
억
미, 미안….
괜찮냐, 너!
앗!
아앗,
태섭이형!
송태섭!!

……!!
멈
칫
크윽….

양쪽 주장!!

파이팅 하는 건 좋은데 방향을 틀리지 않도록 해!!
알겠지?!

경고로 끝나는 건 이번이 마지막이니까!!

………

전반 종료

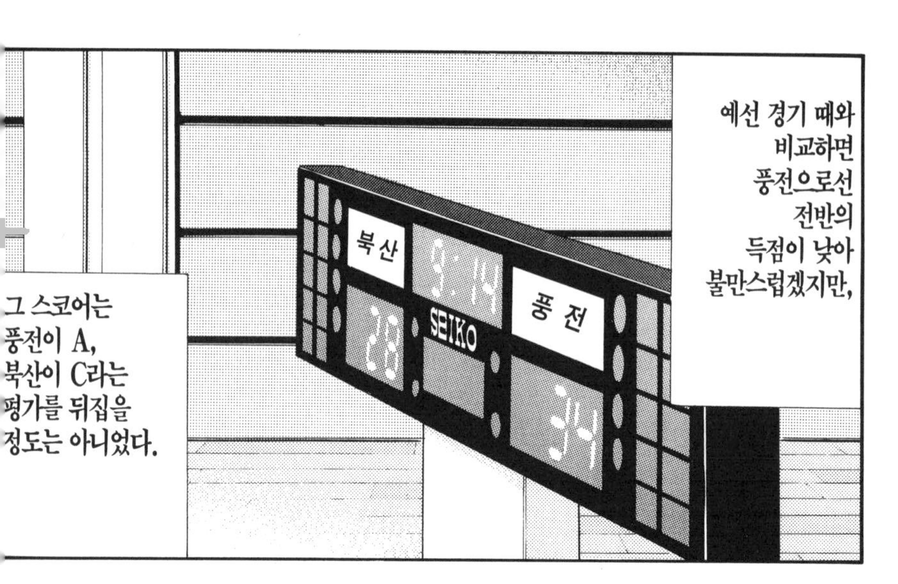
예선 경기 때와
비교하면
풍전으로선
전반의
득점이 낮아
불만스럽겠지만,
그 스코어는
풍전이 A,
북산이 C라는
평가를 뒤집을
정도는 아니었다.
북산
풍전
SEIKO
28
34

이렇게 되면
남훈의 팔꿈치
공격이 효과가
있었다고
할 수 있겠군.
그,
그건…
고의적이
었어요!!

증거는
없어.
……!!

어떻게
할 거냐?
북산…!!

쾅
아악-!!
그
놈들!!

앗!
부수지
마라!

태웅인 어때?
의무실에 있어요.
잠깐 보고 올게요.
뭐?
참 백호 너도 갈
왜 내가 그 허약한 여우 녀석을 보러 가야 되냐?
앙?
으앗!! 하지만 태웅이가 당했을 때…
네가 제일 먼저 뛰어나갔잖아!
테크니컬파울을 먹긴 했지만…
난 동료애가 생긴 건가 하고….
……
풍전의 거친 플레이에 신경이 곤두서 있는 탓에 도와줄 여유가 없다.
마찬가지로 피로한 탓에 말려줄 여유가 없다.
으악!!
잘 듣고 명심해둬라, 1학년 애송이!!
……
전혀 신경 안씀.

서태웅은 내가 쓰러뜨린다.
조만간에 말야!

태웅이 녀석의 수많은 약점을 연구하고 있는 중에 그 수박머리가 쓸데없는 짓을 해서 그런 거야!!
빽
알겠나? 1학년 애송이!

좋아, 좋아!! 스코어는 이 정도면 괜찮다!

이제 알겠지?!
디펜스만 확실하게 하면 이 정도의 점수로도 충분히 이길 수 있어.

자아, 후반도 이대로 간다!!
시끄러워요.

후반엔 60점 따내자
달리는 거야!!
그래서 파울도 많아졌고 말야.
……………
자…, 잠깐 기다려라, 남훈!!
전반도 잘 끝냈잖아! 갑자기 페이스를 바꿀 필요는 없어!!
그건 북산의 페이스였어요.
북산의 느린 페이스에 말렸을 뿐이잖아요.

상대가 계속 느린 페이스로 나오면 후반은 ※올코트로 간다
남훈!
적극적으로 ※스틸도 노려!!
뚫리면 안돼!
이건 전국대회다! 이기지 못하면 끝나는 거잖아!!
물론 이기기 위해서예요.

풍전의 바스켓은 런&건이니까요.

※올코트(올코트 프레스): 코트 전체에서 디펜스 하는 것.
※스틸: 상대의 공을 빼앗는 것.

런&건으로
우승하는
거야!!

……

잠꼬대
같은 소리
하지
마라.
!!

그 런&건으로
벌써
몇 년동안이나
8강에서 머물지
않았느냐!
그것으로
우승할 수
없다는 것은
노선생님 때 이미
증명되었을텐데….

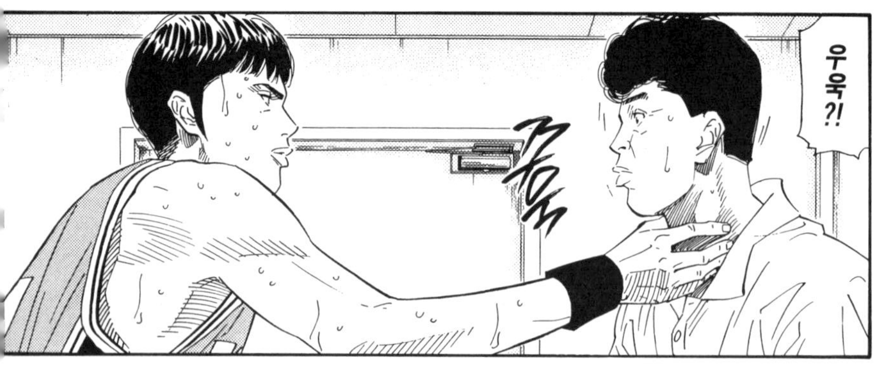
우욱?!

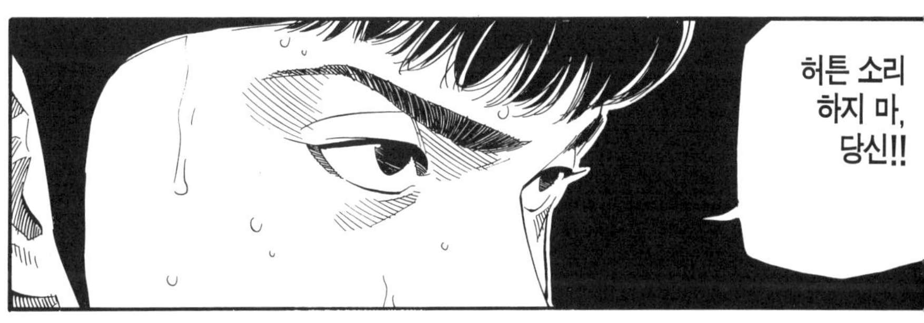
허튼 소리
하지 마,
당신!!

그만둬,
남훈!
좀
심했어!!
남훈
선배!!
노선생님은
어딘가에서
우릴
지켜보고
계실
거야….
………
이게 무슨
짓이냐?
남훈….
콜록
콜록!
켁
!!
호오, 뭐냐?
꼬마야!!
관계자 외엔
경기장에
내려오면
안된단다.

와
정말 멋져요. 풍전!!
매 시합 100점 이라니…!
야
야
런&건!
최고예요.
야
가까이에서 보고 싶어요.
야
잠깐만요.
헤헤….
이 녀석들 내 손자들이네.
움찔
이봐, 너희들! 2층으로 가지 못해!
아아, 됐네….
호오….
우와, 신난다!

……………
북산고교
대기실
…………
왜 잠자코
있는 거예요,
영감님!
그…
그만둬!
화나신
건가…?!
선생님이
아무런 말씀도
안하시네….
뭔가
후반에 대한
지시를….
선생님,
벌써 시간이
다 돼가는
데요.
……………
상대의
도발에 넘어가
혼자 북치고
장구치는
PG(포인트가드).
……!!

예상했던 상대의
철저한 마크에
발끈해서
무모한 공격을
되풀이하는 주장.
움찔
……!!

전국제패란 게
말뿐인
목표였나요?!

그래서
얘기했잖아요,
영감님!
날 내보내지
않아서
그래요.
강…
강백호!!
그만두지
못해~!!

철컥…
……!!
야!!
서태웅!!

손대면 바로 죽여버릴 거야.
우와-! 아프겠다.

서태웅!
후반에 나갈 생각이냐?!
당연하죠.

거리감이 없을텐데 …?!
무모해…!!

오늘도 그거 해요…!

'우리들은…' 말이에요.

……!!

분명 선생님이
말씀하신 대로다.
난 아직 멀었어.

반성
이렇게 된 이상
후반에 모든 걸
폭발시킬 수밖에
없어.

날
내보내줘.

좋아,
후반에
승부다!
가자!

....

우리들은
강하다!!!

좋아요….
그럼 후반의
작전을
말하겠어요.
씨익

SLAM
슬램덩크 완전판 프리미엄
DUNK

볼을
빼앗아서
달린다.
그리고
링에
집어넣는다.
이것이
후반의
작전이에요.
네…?
머
어
엉
씨익

풍전의
장기인
러닝게임을
하란 말씀
이신가요?
점수
쟁탈전을
…?

달려서
링에 집어
넣으라니
그건 당연한
거잖아요!!
그게
무슨
작전이
라고!!

정면승부예요!!
#207 정면승부

척
으라차!!

와
아
아
!!
11번 이다!!
아
아
서태웅이 돌아왔어!!
저…
저 눈으로 뛸 수 있는 건가?
꺄아아아아악!!
태웅이 얼굴이!!
아
아
아
태웅아…!!
……!!
백호도 있군….
북산은 스타팅 멤버로 다시 바꿨어.
우와아앙!!

내 농구는 런&건 이야.

겨우 3년 동안의 고교생활중에 할 수 있는 건 한정돼 있어. 전부 하려는 건 어차피 무리야.
그래서 풍전의 연습은 오펜스 8에 디펜스 2 정도로 해왔다.

물론 비판도 있긴 하지만
그래도 상관없다. 그 방식 이…

농구를 좋아하게 만들어줄 테니까.

좋아, 나가자!!

달리는 거다!!
오옷!!
절대 물러서면 안돼!!
각오는 돼 있겠지!!
OK!!

와
파이팅 북산!!
야 야
힘내라 북산!!
야
와
풍전!!
야
야
풍전!!
야 야

북산
풍전
SEIKO
2ND
팍
와
자아, 간다!!

파앗
!!
아앗!?
엄청난 패스다!!
좋았어, 이번엔 득점이다!!

빽
탁
!!
아―얏!!
저 멍청한 놈이!!

역시 무리야!!

원근감이 없어진 거야!!

당연히 그렇겠지.

이봐, 이봐, 이봐~

저런 녀석을 계속 내보낼 생각이야? 부딪치기라도 하면 어쩔려고 그래? 무서워 죽겠네!!
시끄러, 조용히 못해!!

앗차…!
상대의 도발에 넘어가 혼자 북치고 장구치는 PG(포인트 가드).
흥분하면 안돼! 침착해라!!

어서 돌아와!!
3대 2다!!

아!!

나이스
패스!!
착
아
악

우
와
북산
19:44
풍전
28
SEIKO
2ND
36
왜 그만두시는 거죠? 노선생님!!
좋았어!!
후반 선취 득점이다!!
우리들이 풍전에 들어와 이제 막 농구를 시작하려는데….
어째서!

'이기면 충신,
지면 역적' 이란
말이 있지….
처음 도내를
제패했을 땐
내 방식에 대한
칭찬이
대단했었다.

하지만
도내 1위가
당연한것처럼 되자
이번엔 왜 전국대회를
제패하지 못하느냐는
소리가 나오게
되었지.
그럴 수가!

도내
1위도
엄청난
거잖
아요.
옆에서
보기만 하는
인간들은
곧 지겨워지는
법이니까.

몇 년이 지나도
8강 이상의 성적을
못 거두는건
당신의
지도 방식
때문이야.
이젠 런&건으론
안돼!
하하
얼마
전까진
칭찬을
아끼지 않던
사람들이
말야.

전국대회
우승이 아니면
납득하지 못할
그런 사람들
이란다.
이제
이 늙은인
지쳤단다.

아니지….
전국대회를
우승하면
다음은 연패를
하라고 하겠지.
한 번이라도
타이틀을
빼앗기면 또….
노선생님은
그렇게
말했지만
다른
선배의
말로는….

학교에서
쫓겨난
거래….

전국대회
우승이 아니면
납득하지 못할
그런 사람들
이란다.
빌어
먹을
…!!

런&건
으로
반드시
우승하는
거야!!

……

가라!!
북산!!

고!!

오옷!!
웃!!
!!
호오!
북산도
점수 쟁탈전을
벌일 생각인가?!
빨라!!

10번 OK!!
엉?!
무슨 얼어죽을 OK냐!!
!!
백호야!!
오옷!! 투지가 넘쳐 나는걸!!
움직임에—!!
......!!
......
뭐야, 이 녀석!
이렇게 빨랐었나?!
쓸데없는 움직임이긴 하지만....

와아아아아
우왓,
후반은 양팀
모두 공격,
수비가 빨라
졌어!!
볼만
하겠어!!

우와…!
너희들 꽤
강심장
인데!!
감히
우리랑
맞설 생각을
하다니!!
풍전은
올코트
수비야!!
슬슬
확실히
해둬야
되지
않겠어?
어느
쪽이
위인지
말야!!
168cm 대
183cm 면
엄청난
차이야!!
저 녀석은
아마도
고등학교에
올라와서
PG를 맡게
되었을 거야.
183cm
인가!
!!
초등학교
때부터 줄곧
PG를 해온
태섭이가
질 리가
없어.

꼬맹이를
상대하려니
이거 보통
일이
아닌걸!!
반쯤 앉지
않으면
얼굴이
보이지
않으니
말야!!

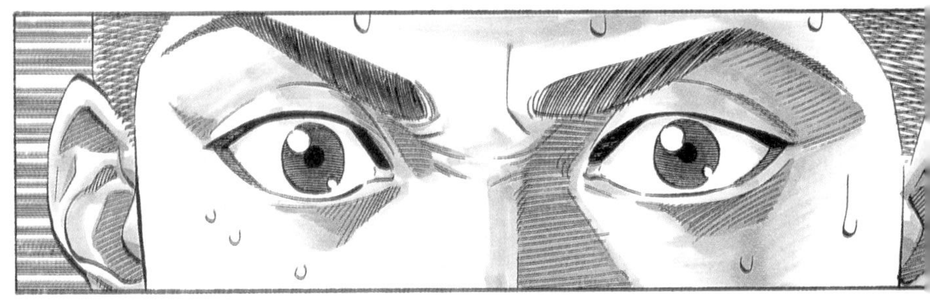

엉?
뭐라구??
탕
탕
탕

좋았어!!
침착하게
가는
거야!!

잘 있어라!!
아!!

빠르다!!
태섭군, 패―스!!
!!
굿 아이디어…!!
해냈어!!

18 SLAM DUNK(完)

이번 화는 전부 걸러였는데
단행본이라 티도 안 나네, 역시…
상관은 없지만
훌쩍
휘이잉、

SLAM
슬램덩크 완전판 프리미엄
DUNK

슬램덩크 완전판 프리미엄 18

2007년 9월 23일 1판 1쇄 발행 2023년 2월 14일 2판 3쇄 발행

•

저자 …… TAKEHIKO INOUE

•

발행인 : 황민호
콘텐츠1사업본부장 : 이봉석
책임편집 : 김정택/장숙희
발행처 : 대원씨아이(주)

•

서울특별시 용산구 한강대로 15길 9-12
전화 : 2071-2000 FAX : 797-1023
1992년 5월 11일 등록 제 1992-000026호

•

•

ISBN 979-11-6944-814-7 07830
ISBN 979-11-6944-793-5 (세트)

•

• 잘못 만들어진 책은 구입하신 곳에서 바꾸어 드립니다.
• 문의 : 영업 02-2071-2075 / 편집 02-2071-2116

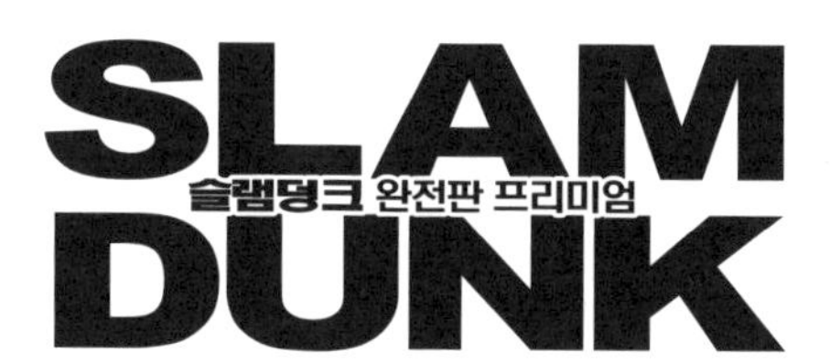
SLAM
슬램덩크 완전판 프리미엄
DUNK

SLAM
슬램덩크 완전판 프리미엄
DUNK